Aldous Huxley
Die Kunst des Sehens

Damit Du
Deinen Sohn
beim Wachsen immer mit
klaren und scharfen
Augen beobachten kannst

fröhliche Weihnachten
Christian

SERIE PIPER

Zu diesem Buch

In diesem Werk zeigt sich der Essayist, Romancier und Philosoph Aldous Huxley von einer ganz pragmatischen Seite: »Die Kunst des Sehens« informiert über den physikalischen Prozeß des Sehens und über die psychischen Faktoren, die das Sehvermögen beeinflussen. Mit praktischen Hinweisen zur Verbesserung der Sicht liefert er eine Anleitung zum »richtigen Sehen«. Huxley, der an einem schweren Augenleiden erkrankt war, erprobte diese Methode mit Erfolg an sich selbst – ein frühes Beispiel für eine alternative medizinische Therapie.

Aldous Leonard Huxley, am 26. Juli 1894 in Godalming/Surrey geboren, wurde in Eton erzogen, studierte nach einer schweren Augenkrankheit englische Literatur in Oxford und war ab 1919 zunächst als Journalist und Theaterkritiker tätig. 1921 begann mit der Veröffentlichung seines Romans »Eine Gesellschaft auf dem Lande« seine literarische Laufbahn. Sein 1932 erschienener Roman »Schöne neue Welt«, eine ironisch-satirische Zukunftsvision, erlangte Weltruhm. Von 1938 an lebt er in Kalifornien. Er starb am 22. November 1963 in Hollywood.

Aldous Huxley
Die Kunst des Sehens

Was wir für unsere Augen tun können

Aus dem Englischen und
mit einem Nachwort von Christoph Graf

Piper München Zürich

Der Übersetzer dankt Constanze Hub und Werner Voigt
für ihre freundliche Unterstützung.

Von Aldous Huxley liegen in der Serie Piper außerdem vor:
Die Pforten der Wahrnehmung. Himmel und Hölle (6)
Moksha (287)
Eiland (358)
Wiedersehen mit der Schönen neuen Welt (670)
Essays. 3 Bände (1450)

Deutsche Erstausgabe
1. Auflage März 1982
11. Auflage April 2001

Titel der englischen Originalausgabe:
»The Art of Seeing«, Chatto & Windus, London 1943

Umschlag: Büro Hamburg
Isabel Bünermann, Meike Teubner
Umschlagabbildung: Brad Holland
Gesamtherstellung: Clausen & Bosse, Leck
Printed in Germany ISBN 3-492-20216-0

Inhalt

Vorwort

Mit sechzehn Jahren erkrankte ich an einer schweren *Keratitis punctata*, die mir (nach achtzehn Monaten fast völliger Blindheit, während der ich beim Lesen auf Brailleschrift und beim Gehen auf eine Hilfsperson angewiesen war) an einem Auge nur die Hell-Dunkel-Wahrnehmung ließ und am anderen die Sehschärfe so weit herabsetzte, daß ich auf der Snellen-Sehprobentafel die Sechzig-Meter-Buchstaben aus drei Meter Entfernung nur knapp erkennen konnte. Die Verminderung meiner Sehkraft beruhte hauptsächlich auf Trübungen der Hornhaut; dazu kamen Übersichtigkeit und Hornhautverkrümmung. Zum Lesen empfahlen mir meine Ärzte während der ersten Jahre ein starkes Vergrößerungsglas. Später wurde ich zum Brillenträger »befördert«. Mit Hilfe der Brille konnte ich aus drei Meter Entfernung die Fünfundzwanzig-Meter-Zeichen erkennen, und ich konnte leidlich lesen – vorausgesetzt, daß ich die Pupille des besseren Auges mit Atropin erweitert hielt, um so an einer besonders dichten Trübung in der Mitte der Hornhaut vorbeizusehen. Allerdings verspürte ich stets eine gewisse Anstrengung und Ermüdung, und gelegentlich überwältigte mich jenes Gefühl totaler körperlicher und geistiger Erschöpfung, das nur durch die Überanstrengung der Augen hervorgerufen wird. Aber ich war dankbar, wenigstens das zu sehen, was ich damals sehen konnte.

So blieb der Zustand bis 1939; von da an wurde das Lesen trotz stärkster Brillengläser immer schwieriger und ermüdender. Es bestand kein Zweifel: Mein Sehvermögen nahm ständig ab, und zwar ziemlich schnell. Ich fragte mich voller Sorge, was in aller Welt ich denn tun solle, falls mir das Lesen unmöglich würde; da hörte ich zufällig von einer Methode zur Schulung des Sehens und von einem Lehrer, der dem Vernehmen nach diese Methode mit ausgezeichnetem Erfolg anwendete. »Schulung« hörte sich ganz harmlos an, und da die Brille mir nicht mehr half, beschloß ich, dieses Abenteuer zu wagen. Nach einigen Monaten konnte ich ohne Brille lesen, und zwar, was besonders erfreulich war, ohne jede Anstrengung und Ermüdung. Die chronischen Verspannungen und die gelegentlichen schweren Erschöpfungszustände gehörten der Vergangenheit an. Darüber hinaus gab es deutliche Anzeichen, daß sich die über fünfundzwanzig Jahre unverändert gebliebenen Hornhauttrübungen aufzuhellen begannen. Gegenwärtig ist mein Sehvermögen, obwohl noch immer weit vom normalen entfernt, etwa doppelt so gut wie zu der Zeit, als ich eine Brille trug und die Kunst des Sehens noch nicht beherrschte. Die Trübungen hellten sich so weit auf, daß ich mit dem schlechteren Auge, welches über Jahre nur Hell und Dunkel hatte unterscheiden können, aus dreißig Zentimeter Entfernung die Drei-Meter-Zeile auf der Sehprobentafel erkennen kann.

Ich habe dieses kleine Buch in erster Linie aus tiefer Dankbarkeit geschrieben – aus Dankbarkeit gegenüber dem Pionier der Augenschulung, dem verstorbenen Dr. W. H. Bates, und gegenüber seiner Schülerin, Frau M. D. Corbett, deren didaktischem Geschick ich die Verbesserung meiner Sehkraft verdanke.

Es ist eine Reihe anderer Bücher über visuelle Erziehung publiziert worden – zu nennen sind vor allem Dr. Bates' »Perfect Sight Without Glasses« (New York 1920), Frau Corbetts »How to Improve Your Eyes« (Los Angeles 1938) und »The Improvement of Sight by Natural Methods« (London 1934) von C. S. Price. Sie alle sind auf ihre Art wertvoll; aber in keinem (zumindest derjenigen, die ich gelesen habe) wurde angestrebt, was ich in diesem kleinen Buch versucht habe: die Methoden der visuellen Erziehung zu den Erkenntnissen der modernen Psychologie und kritischen Philosophie in Beziehung zu setzen. Mittels dieser Korrelation möchte ich aufzeigen, wie sinnvoll eine Methode grundsätzlich sein kann, die lediglich bestimmte theoretische, allgemein als gültig anerkannte Prinzipien in die Praxis umsetzt.

Warum, so mag man fragen, haben die Schul-Ophthalmologen nicht schon längst diese allgemein anerkannten Prinzipien berücksichtigt? Die Antwort ist klar: Seit der Zeit, da die Ophthalmologie zur Wissenschaft wurde, haben sich die sie ausübenden Ärzte ausschließlich mit einem Aspekt des ganzen komplexen Sehvorgangs beschäftigt – mit dem physiologischen. Sie haben sich ausschließlich den Augen zugewandt und den menschlichen Geist, der sich ja der Augen zum Sehen bedient, außer acht gelassen. Ich bin von den berühmtesten Kapazitäten des Fachs behandelt worden, ohne daß eine einzige auch nur mit einer Silbe von einem geistigen Aspekt des Sehens gesprochen oder erwähnt hätte, daß man Auge und Gehirn auch falsch gebrauchen kann. Nachdem meine Ärzte mit viel Geschick die akute Infektion meiner Augen unter Kontrolle gebracht hatten, verschrieben sie mir optische Hilfsmittel und entließen mich. Es war ihnen, wie praktisch allen anderen Schul-Ophthalmologen, völlig gleichgültig, ob ich nun meinen Geist und meine bebrillten Augen richtig oder falsch einsetzte und was für Auswirkungen ein falscher Gebrauch meiner Augen möglicherweise haben könnte. Dr. Bates waren diese Dinge nicht gleichgültig, im Gegenteil. Deshalb entwickelte er in jahrelanger experimenteller und klinischer Arbeit seine einzigartige Methode der Augenschulung. Daß diese Methode grundsätzlich richtig ist, beweist ihre Wirksamkeit.

Mein eigener Fall ist in keiner Weise einzigartig; Tausende anderer Menschen konnten ihr schwaches Sehvermögen verbessern, indem sie die einfachen Regeln der Kunst des Sehens befolgten, die wir Bates und seiner Schule verdanken. Es ist das zentrale Anliegen dieses Buchs, noch mehr Menschen mit dieser Kunst bekannt zu machen.

Teil I

1 Medizin und vermindertes Sehvermögen

Medicus curat, natura sanat – der Arzt behandelt, die Natur heilt. Dieser alte Aphorismus umfaßt den ganzen Wirkungsbereich und die Absicht der Medizin, nämlich kranken Organismen möglichst günstige innere und äußere Bedingungen zu verschaffen, damit ihre eigenen selbstregulierenden und wiederherstellenden Kräfte zur Wirkung kommen können. Wenn es keine *vis medicatrix naturae*, keine heilende Kraft der Natur gäbe, wäre die Medizin machtlos und jede kleine Störung würde entweder geradewegs zum Tod führen oder eine chronische Krankheit hervorrufen.

Unter günstigen Voraussetzungen wird sich ein kranker Organismus vermöge seiner Selbstheilungskraft erholen. Wenn er sich nicht erholt, so bedeutet dies entweder, daß der Fall hoffnungslos ist, oder daß die Voraussetzungen für eine Heilung nicht günstig sind – mit anderen Worten, daß die angewandte medizinische Behandlung nicht die gewünschte Wirkung zeigt, also nicht adäquat sein kann.

Die übliche Behandlung von Sehfehlern

Im Lichte dieser allgemeinen Prinzipien wollen wir nun die gegenwärtig angewendete medizinische Behandlung von Sehfehlern betrachten. In den meisten Fällen besteht die Behandlung einzig darin, dem Patienten optisch geschliffene Gläser anzupassen, die den Brechungsfehler beheben sollen, der für die Fehlsichtigkeit verantwortlich gemacht wird. *Medicus curat*; und die Mehrzahl der Patienten wird dadurch zufriedengestellt, daß sie sofort besser sehen kann. Wie steht es aber mit der Natur und ihrem Heilungsprozeß? Beseitigen Brillengläser die Ursachen der Sehfehler? Entwickeln die Sehorgane aufgrund der Behandlung mit geschliffenen Gläsern wieder ihre normale Funktion? Die Antwort auf diese Fragen ist nein. Brillengläser neutralisieren zwar die Symptome, beheben aber nicht die Ursachen der Fehlsichtigkeit. Und so, weit entfernt von einer Besserung, neigen die mit diesen Hilfsmitteln ausgestatteten

Augen dazu, immer schwächer zu werden und immer stärkere Gläser zur Beseitigung der Symptome zu benötigen. Kurzum: *Medicus curat, natura non sanat.* Aus diesem Sachverhalt können wir zwei Schlußfolgerungen ziehen: Entweder sind Sehfehler unheilbar und können nur durch mechanische Neutralisation überdeckt werden; oder an der gegenwärtigen Behandlungsmethode ist etwas grundlegend falsch.

Die Schulmedizin macht die erste, pessimistischere Alternative geltend und behauptet, die mechanische Aufhebung der Symptome sei die einzige Behandlung, auf welche fehlsichtige Augen ansprechen. (Ich lasse hier alle jene mehr oder weniger akuten, durch Chirurgie und Medikamente heilbaren Augenkrankheiten außer Betracht und beschränke mich auf die viel weiter verbreiteten, heute mit Brillengläsern behandelten Fehlsichtigkeiten.)

Heilung oder Besserung der Symptome?

Wenn die Schulmeinung richtig ist – wenn die Sehorgane zur Selbstheilung unfähig sind und wenn ihre Mängel nur mit mechanischen Hilfsmitteln ausgeglichen werden können –, dann müssen die Augen sich ihrer Natur nach von anderen Teilen des Körpers grundsätzlich unterscheiden. Unter günstigen Bedingungen neigen alle anderen Organe dazu, sich von ihren Störungen zu befreien. Nicht so die Augen. Wenn sie Schwächesymptome zeigen, dann ist es – nach schulmedizinischer Ansicht – völlig sinnlos, sich irgendwie ernsthaft um die Beseitigung der Ursachen zu bemühen, die diesen Symptomen zugrunde liegen. Selbst die Suche nach einer Behandlung, welche die Natur bei ihrer Aufgabe unterstützt – nämlich zu heilen –, ist reine Zeitverschwendung. Fehlsichtige Augen sind, *ex hypothesi*, praktisch unheilbar; ihnen mangelt es an der *vis medicatrix naturae*. Alles, was die Augenheilkunde für sie tun kann, ist, die Symptome mit rein mechanischen Hilfsmitteln zu neutralisieren. Die einzig richtige Einschätzung dieser seltsamen Theorie kommt von seiten jener, die sich mit den äußeren Bedingungen des Sehvorgangs befassen. Hier zum Beispiel einige wichtige Passagen aus dem Buch »Seeing and Human Welfare« von Dr. Matthew Luckiesh, Direktor der Forschungsabteilung für Beleuchtungstechnik der General Electric Company. Brillengläser (jene »wertvollen Krücken«, wie Dr. Luckiesh sie nennt) »wirken zwar den Folgen von Vererbung, Alter und *Mißbrauch* entgegen; sie behandeln aber nicht die Ursachen«. »Angenommen, schwache Augen könnten in gelähmte Beine verwandelt werden: Was für ein herzzerreißendes Bild würde sich uns auf jeder belebten Straße bieten! Fast jeder zweite würde hinken. Viele würden an Krücken gehen und einige in Rollstühlen fahren. Wieviele dieser krankhaften Zustände der Augen lassen sich aber auf mangelhafte Sehbedingungen zurückführen, das heißt auf Gleichgültigkeit gegenüber dem Sehvorgang an sich? Statistiken darüber liegen nicht vor, aber das Studium des Sehvorgangs und seiner Voraussetzungen läßt darauf schließen, daß die meisten dieser krankhaften Zustände vermeidbar wären und die übrigen durch geeignete äußere Bedingungen vermindert oder beseitigt werden könnten.« Und weiter: »Sogar die Brechungsfehler und andere durch falschen Gebrauch der Augen entstandene Abnormitäten müssen nicht notwendig ein bleibendes Übel sein. Wenn wir krank werden, leistet die Natur ihren Beitrag zur Heilung, vorausgesetzt, wir steuern den unseren bei. Die Augen haben, zumindest in gewissem Ausmaß, mannigfaltige Selbstheilungskräfte. Es ist immer hilfreich, dem falschen Gebrauch der Augen durch Verbesserung der Sehbedingungen entgegenzuwirken, und es sind viele Fälle bekannt, bei denen in der Folge eine starke Besserung eingetreten ist. Ohne Korrektur der falschen Sehgewohnheiten verschlimmert sich aber die Störung im allgemeinen.« Diese ermutigenden Worte lassen die Beschreibung einer neuen, wirklich kausalen Behandlung der Sehfehler erwarten, welche die heutige, nur symptombezogene Therapie ersetzen könnte. Diese Hoffnung wird aber nur zum Teil erfüllt. »Schlechte Beleuchtung«, fährt Dr. Luckiesh fort, »ist der wichtigste und häufigste Grund für die Überanstrengung der Augen, die ihrerseits oft zu zunehmenden Störungen und Schäden führt.« Sein Buch behandelt dieses Thema in allen Variationen. Ich möchte aber sogleich hinzufügen, daß die Arbeit innerhalb ihrer Grenzen wirklich bemerkenswert ist. Für Sehbehinderte ist gute Beleuchtung tatsächlich sehr wichtig, und man kann Dr. Luckiesh nur dafür danken, daß er dem Begriff »gute Beleuchtung« wissenschaftliche klare, standardisierte physikalische Einheiten, sogenannte Lux, zuordnet. Nur möchte man einwenden, Lux sind nicht genug. Wenn ein Arzt andere Teile des Organismus behandelt, beschränkt er sich nicht darauf, die äußeren Funktionsbedingungen zu verbessern; er versucht, ebenso auf die inneren Bedingungen des kranken Organs, direkt auf dessen physiologische Umgebung einzuwirken, so wie er auf die äußere Umgebung des Körpers einwirkt. Demgemäß weigert sich ein Arzt auch, einen Patienten mit gelähmten Beinen nun ewig an Krücken gehen zu lassen. Und er nimmt nicht an, Vorschriften zur Verhütung von Unfällen genügten zur Behandlung von Krüppeln. Im Gegenteil, er betrachtet den Gebrauch von Krücken nur als einen vorübergehenden Notbehelf; er wird sich nicht nur um die äußeren Gegebenheiten kümmern, sondern auch die Bedingungen in dem geschädigten Organ selbst zu verbessern suchen, um so die Natur bei ihrem Heilungsprozeß zu unterstützen. Einige seiner Maßnahmen, wie Bettruhe, Massage, Anwendung von Wärme und Licht, richten sich nicht an die Psyche des Patienten, sondern direkt an das versehrte Organ; sie sollen zur Entspannung führen, die Blutzirkulation anregen und die Beweglichkeit erhalten. Andere, erzieherische Maßnahmen sollen beim Patienten die Wechselbeziehung zwischen Psyche und Körper verbessern. Durch diesen Appell an die geistigen Kräfte werden oft erstaunliche Resultate erzielt. Ein guter Lehrer kann, wenn er die richtige Technik benutzt, das Opfer eines Unfalls oder einer Lähmungskrankheit oft schrittweise zur Wiedergewinnung der verlorenen Funktion hinführen und so zur Wiederherstellung der Gesundheit und zur Integrität des geschädigten Organs beitragen. Warum sollte, was für geschädigte Beine getan werden kann, analog nicht auch für geschädigte Augen getan werden können? Auf diese Frage gibt die Schulmedizin keine Antwort – sie nimmt einfach an, daß fehlsichtige Augen unheilbar sind und nicht durch irgendwelche Wechselbeziehungen zwischen Psyche und Körper beeinflußt und normalisiert werden können, obwohl die Augen besonders innig mit der Psyche verbunden sind.

Die orthodoxe Theorie ist schon auf den ersten Blick so unplausibel, so absolut unglaubhaft, daß man sich über ihre allgemeine und unbestrittene Aufnahme nur wundern kann. Aber die Macht der Gewohnheit und der Autorität ist so groß, daß wir alle diese Theorie akzeptieren. Zum jetzigen Zeitpunkt wird sie nur von jenen abgelehnt, die aus eigener Erfahrung wissen, daß sie falsch ist. Zufällig bin ich einer von jenen. Es war mir vergönnt, selbst die Entdeckung zu machen, daß die *vis medicatrix naturae* den Augen nicht fehlt, daß die Linderung von Symptomen nicht die einzige Behandlungsmöglichkeit mangelhaften Sehens ist, daß die Sehfunktion durch geeignete Koordination von Psyche und Körper normalisiert werden kann und schließlich daß sich mit der Funktion auch die Struktur des geschädigten Organs verbessert. Diese persönliche Erfahrung wurde durch meine Beobachtung vieler anderer, die die gleiche visuelle Schulung durchlaufen haben, bestätigt. Deshalb ist es unmöglich für mich, länger die gängige Lehrmeinung mit ihren hoffnungslos pessimistischen Schlußfolgerungen zu akzeptieren.

2 Erziehung zum richtigen Sehen – eine neue Methode

Anfang dieses Jahrhunderts gab sich ein New Yorker Augenarzt, Dr. W. H. Bates, mit der üblichen symptomatischen Behandlung der Augen nicht mehr zufrieden. Er suchte nach einer Möglichkeit, Fehlsichtigkeit durch geeignete visuelle Erziehung wieder zu normalisieren und so die Verwendung von Brillengläsern zu umgehen.

Aufgrund seiner Arbeit an einer großen Zahl von Patienten kam er zu dem Schluß, daß es sich bei den meisten Fehlsichtigkeiten um funktionelle, durch falsche Sehgewohnheiten hervorgerufene Störungen handele. Es fiel ihm auf, daß die falschen Sehgewohnheiten immer mit einer gewissen Anstrengung und Verspannung gekoppelt waren. Die Anstrengung wirkte sich sowohl auf den Körper als auch auf den Geist aus, was im Hinblick auf die Einheit von Seele und Körper des Menschen zu erwarten gewesen war.

Dr. Bates entdeckte, daß der Spannungszustand durch geeignete Übungen beseitigt werden konnte. Sobald dies erreicht war – das heißt sobald die Patienten gelernt hatten, Auge und Gehirn entspannt zu gebrauchen –, besserte sich das Sehvermögen und die Brechungsfehler der Augen verschwanden von selbst. Die Übungen dienten dazu, die falschen, für Sehfehler verantwortlichen Sehgewohnheiten durch neue, richtige zu ersetzen. In vielen Fällen normalisierte sich dadurch die Funktion vollständig und bleibend.

Eine Verbesserung der Funktion geht aber immer mit einer Verbesserung der organischen Struktur einher. Dies ist ein allgemein bekanntes physiologisches Prinzip. Wie Dr. Bates herausfand, macht das Auge keine Ausnahme von dieser Regel. Wenn der Patient lernte, sich zu entspannen und richtig zu sehen, erhielt die *vis medicatrix naturae* eine Chance, zu wirken – mit dem Ergebnis, daß häufig auf die Verbesserung der Funktion eine vollständige Wiederherstellung der Gesundheit und Integrität des erkrankten Auges folgte.

Dr. Bates starb 1931; er arbeitete bis zu seinem Tod an der Weiterentwicklung und Vervollkommnung seiner Methoden zur Verbesserung der Sehfunktion. Auch seine über weite Teile der Welt verstreuten Schüler erarbeiteten während seiner letzten Lebensjahre und nach seinem Tod wertvolle neue Anwendungsmöglichkeiten der von ihm beschriebenen allgemeinen Grundsätze. Mittels dieser Übungen konnten Sehschwächen aller Art bei unzählig vielen Männern, Frauen und Kindern geheilt oder zumindest gebessert werden. Wer eine Reihe solcher Fälle studiert oder sich selbst dem Lernprozeß zum richtigen Sehen unterzogen hat, kann nicht daran zweifeln, daß hier endlich eine Methode zur wirklich kausalen und nicht nur symptombezogenen Behandlung vorliegt – eine Methode, die sich nicht auf die mechanische Korrektur von Defekten beschränkt, sondern die auf die Beseitigung der physischen und psychischen

Ursachen ausgerichtet ist. Und doch wird der Bates-Methode von Medizinern und Augenoptikern die Anerkennung noch immer versagt, obwohl sie seit langem bekannt ist und obwohl die Ergebnisse, die sie unter der Leitung von erfahrenen Lehrern bringt, in Qualität und Quantität beachtlich sind. Ich glaube, es ist aufschlußreich, die Hauptgründe für diesen meiner Meinung nach bedauerlichen Sachverhalt aufzuzeigen und zu untersuchen.

Gegenargumente der Schulmedizin

Zunächst einmal genügt allein die Tatsache, daß die Methode nicht anerkannt ist und außerhalb des schulmedizinischen Bereichs liegt, um Spekulanten und Scharlatane anzulocken, diese Schmarotzer der Gesellschaft, die immer darauf aus sind, aus menschlichen Leiden Vorteile zu ziehen. Es gibt zwar, über die ganze Welt verstreut, einige Dutzend oder sogar Hunderte gut ausgebildeter und gewissenhafter Lehrer der Bates-Methode. Daneben gibt es aber leider auch unkundige und skrupellose Quacksalber, die von diesem Lehrsystem kaum mehr als dessen Namen wissen. Das ist bedauerlich, aber keineswegs überraschend. Die Zahl derer, die durch die übliche Behandlung der Symptome keine Verbesserung ihres Sehvermögens erfahren haben, ist groß, und gerade bei solchen Fällen gilt die Bates-Methode als besonders erfolgreich. Dazukommt, daß die Methode unorthodox ist; deshalb gibt es keine gesetzlichen Richtlinien für die Kompetenz der Lehrer. Bei einem so großen potentiellen Patientenkreis, so dringend benötigter Hilfe wird nicht viel nach Kenntnissen, Charakter und Fähigkeit gefragt. Das sind ideale Bedingungen für Scharlatanerie. Ist es also verwunderlich, daß die gebotene Gelegenheit von gewissen skrupellosen Leuten ausgenützt wird? Nur weil einige nicht schulmedizinische Praktiker Scharlatane sind, müssen es aber nicht alle sein. Ich betone: Ein solcher Schluß ist nicht zwingend. Wie aber die Geschichte fast jeder Berufsgruppe klar zeigt, würde es die offizielle Lehrmeinung am liebsten sehen, wenn es so wäre. Das ist einer der Gründe, warum in diesem besonderen Fall die ungerechtfertigte Annahme verbreitet ist, bei der ganzen Angelegenheit handle es sich schlicht um Quacksalberei – obwohl das Gegenteil offenkundig ist. Man kann Quacksalberei aber nicht dadurch verhindern, indem man eine zuverlässige Methode unterdrückt, sondern allein durch gründliche Ausbildung und Kontrolle der Lehrer. Gründliche Ausbildung und Kontrolle schaffen gleichfalls Abhilfe gegen jene konzessionierte Scharlatanerie der Optiker, die im »Reader's Digest« (1937) und im New Yorker »World Telegram« (1942) angeprangert worden ist.

Der zweite Grund, warum die Methode abgelehnt wird, läßt sich in drei Worten zusammenfassen: Gewohnheit, Autorität und Fachidiotie. Die Symptombehandlung bei Fehlsichtigkeit wird seit langer Zeit praktiziert; sie wurde perfektioniert und hat innerhalb ihrer Grenzen recht gute Erfolge erzielt. Wenn sie gelegentlich versagt und nicht einmal die Symptome beseitigen kann, dann liegt das eben in der Natur der Sache und ist niemandes Schuld. Seit Jahren haben alle hohen medizinischen Autoritäten an dieser Meinung festgehalten – und wer wollte es wagen, eine anerkannte Autorität in Frage zu stellen? Gewiß nicht die Mitglieder des Berufsstandes, dem diese Autorität angehört. Jede Gilde und jeder Handelsverband hat seinen eigenen *esprit de corps*, seine eigene Berufsehre, die für jede Rebellion von innen und jede Konkurrenz oder Kritik von außen empfindlich macht.

Dann gibt es da ein Privileg: Die Herstellung von optischem Glas ist inzwischen zu einem bedeutenden Industriezweig geworden und der Verkauf von Brillen im Einzelhandel zu einem einträglichen Geschäft, das nur von speziell geschulten Fachleuten ausgeübt werden darf. Selbstverständlich muß in diesen Kreisen ein starker Widerwille gegen jede neue Methode bestehen, die eine Anwendung von optischem Glas überflüssig macht. (Vielleicht lohnt es sich anzumerken, daß der Verbrauch von optischem Glas wohl kaum sofort spürbar abnehmen würde, selbst wenn die Bates-Methode allgemein anerkannt werden sollte. Die Umschulung zum richtigen Sehen verlangt von den Schülern ein gewisses Maß an Aufmerksamkeit, Zeit und Mühe. Aber Aufmerksamkeit, Zeit und Mühe sind gerade das, was die überwältigende Mehrheit der Menschen nicht investieren will, wenn sie nicht durch einen leidenschaftlichen Wunsch oder eine zwingende Notwendigkeit motiviert ist. Wer mit seiner mechanischen Sehhilfe einigermaßen zufrieden ist, wird kaum darauf verzichten, auch wenn er weiß, daß es ein Trainingssystem gibt, das nicht nur die Symptome mildern, sondern die Ursachen der Fehlsichtigkeit beseitigen kann. Solange die Kunst des Sehens den Kindern im Rahmen ihrer Erziehung nicht beigebracht wird, wird der Handel mit Brillengläsern durch eine offizielle Anerkennung dieser neuen Technik kaum nennenswerte Einbußen erleiden. Menschliche Trägheit sichert dem Optiker neunzig Prozent seines gegenwärtigen Umsatzes.)

Ein weiterer Grund für die Einstellung der Schulmedizin in dieser Angelegenheit ist rein empirischer Natur. Augenärzte und Optometristen behaupten, sie hätten die von Dr. Bates und seiner Schule beschriebenen Selbstregulations- und Heilungsvorgänge nie beobachtet. Deshalb, so schließen sie, kommen solche Phänomene auch nicht vor. Die Prämisse dieses Syllogismus ist richtig, die Schlußfolgerung falsch. Gewiß haben Augenärzte und Optometristen die von Bates und seinen Schülern beschriebenen Phänomene nie beobachtet. Aber nur, weil sie nie mit Patienten in Berührung kamen, die gelernt hatten, ihre Sehorgane entspannt und locker zu gebrauchen. Solange die Augen unter geistiger und körperlicher Anspannung stehen, wird die *vis medicatrix naturae* nicht zur Wirkung kommen; die Fehlsichtigkeit wird anhalten oder sich sogar verschlimmern. Augenärzte und Optometristen werden die von Bates beschriebenen Vorgänge beobachten können, sobald sie die Anspannung im Augenbereich ihrer Patienten durch Bates' Schulung verringern. Daß sich die Phänomene unter den von Schulmedizinern geschaffenen Bedingungen nicht zeigen, bedeutet noch lange nicht, daß sie es auch nicht dann tun, wenn man durch Veränderung der Bedingungen die Heilkraft des Organismus nicht mehr einschränkt, sondern sich frei entfalten läßt.

Zu jenem empirischen Grund für die Ablehnung der Bates'schen Methode gesellt sich ein anderer, eher theoretischer. Während seines Wirkens als Augenarzt begann Dr. Bates an der allgemein anerkannten Hypothese über die Akkommodation, das heißt, die Fähigkeit des Auges, sich auf Nähe und Weite einzustellen, zu zweifeln. Dieser Mechanismus war lange Zeit Thema hitziger Debatten gewesen, bis sich die Schulmedizin schließlich vor einigen Generationen der Helmholtzschen Hypothese anschloß, welche die Akkommodation des Auges mit der Einwirkung des Ziliarmuskels auf die Linse erklärt. Bei seiner Arbeit mit fehlsichtigen Patienten beobachtete Dr. Bates eine Reihe von Vorgängen, für deren Erklärung die Helmholtzsche Theorie nicht ausreichte. Aufgrund zahlreicher Experimente an Tieren und Menschen kam er zu dem Schluß, daß entscheidend für die Akkommodation nicht die Linse, sondern die äußeren Augenmuskeln seien und daß die Weit- und Naheinstellung des Auges durch Verlängerung und Verkürzung des ganzen Augapfels geschehe. Seine Artikel über diese Experimente wurden damals in verschiedenen medizinischen Zeitschriften veröffentlicht; sie sind in den ersten Kapiteln seines Buches »Perfect Sight Without Glasses« zusammengefaßt.

Darüber zu entscheiden, ob Dr. Bates mit der Ablehnung der Helmholtzschen Akkommodationstheorie recht hatte oder nicht, fehlt mir jede Kompetenz. Aber nachdem ich die Beweisführung gelesen habe, vermute ich, daß wohl beide, äußere Augenmuskeln und Linse, bei der Akkommodation eine Rolle spielen.

Diese Vermutung mag richtig sein oder nicht. Das ist mir nicht allzu wichtig. Mir geht es nicht um den anatomischen Akkommodationsmechanismus, sondern um die Kunst des Sehens – und die Kunst des Sehens steht oder fällt nicht mit irgendeiner physiologischen Hypothese. Die Schulmedizin hat angenommen, Dr. Bates' Akkommodationstheorie sei falsch, und daraus gefolgert, auch seine Augenschulung müsse falsch sein. Dies ist eine völlig ungerechtfertigte Schlußfolgerung, die auf der Unfähigkeit beruht, das Wesen einer Kunst bzw. psychophysischen Fertigkeit zu verstehen.[1]

1 Siehe Anhang 1

Jede psychophysische Kunstfertigkeit, einschließlich der Kunst des Sehens, hat ihre eigenen Gesetze. Diese Gesetze werden auf empirischem Wege von jenen aufgestellt, die sich eine gewisse Fähigkeit zu eigen machen wollen, wie zum Beispiel Klavierspielen, Singen oder Seiltanzen, und die aufgrund von langem Üben die beste und kräftesparendste Methode gefunden haben, ihren psychophysischen Organismus dafür einzusetzen. Solche Leute mögen die wunderlichsten Ansichten über Physiologie haben; das ist unwesentlich, solange ihre psychophysische Tätigkeit in Theorie und Praxis auf ihr konkretes Ziel ausgerichtet ist. Wenn die Entwicklung psychophysischer Fertigkeiten von genauen physiologischen Kenntnissen abhängig wäre, hätte wohl niemand je eine Kunst erlernt. Johann Sebastian Bach zum Beispiel hat wahrscheinlich nie über die Physiologie der Muskeln nachgedacht; falls er es je getan haben sollte, dann ziemlich sicher in falschen Begriffen. Dies hinderte ihn aber nicht, seine Muskeln beim Orgelspiel mit unvergleichlicher Geschicklichkeit einzusetzen. Ich wiederhole: Jede Kunstfertigkeit gehorcht allein ihren eigenen Gesetzen; es sind die Gesetze des erfolgreichen psychophysischen Funktionierens, angewendet auf jede Art von Kunstausübung.

Die Kunst des Sehens unterscheidet sich nicht von anderen psychophysischen Grundfertigkeiten wie Sprechen, Gehen oder Benützen der Hände. Diese elementaren Fertigkeiten werden normalerweise im Säuglings- und Kleinkindalter durch weitgehend unbewußte Selbsterziehung erworben. Die Entwicklung adäquater Sehgewohnheiten benötigt anscheinend mehrere Jahre. Einmal gelernt, wird der richtige mentale und physische Gebrauch der Sehorgane automatisch – genauso wie Kehlkopf, Zunge und Gaumen beim Sprechen und die Beine beim Gehen automatisch funktionieren. Während aber der automatisch richtige Vorgang beim Sprechen oder Gehen nur durch einen sehr starken psychischen oder physischen Schock beeinträchtigt wird, kann der optimale Gebrauch der Sehorgane in Folge relativ geringer Störungen verlorengehen. Korrekte Gebrauchsgewohnheiten werden durch falsche ersetzt;

schon leidet das Sehvermögen, und in einigen Fällen werden aufgrund der schlechten Funktion sogar Krankheiten und chronische organische Veränderungen an den Augen entstehen. Gelegentlich bewirkt die Natur eine spontane Heilung, und die ursprünglichen korrekten Sehgewohnheiten kehren bald zurück. Meist muß aber die im Kleinkindalter unbewußt erlernte Kunst bewußt wieder neu erlernt werden. Die Technik für diesen Erziehungsprozeß wurde von Dr. Bates und seinen Schülern erarbeitet.

Grundprinzipien bei der Ausübung jeder Kunst

Woher, so könnte man fragen, wissen wir denn, daß diese Technik richtig ist? »Die Qualität des Puddings zeigt sich beim Essen«, sagen die Engländer. Zum ersten und am überzeugendsten spricht für die Methode, daß sie funktioniert. Überdies läßt uns schon die Art der Übungen eine Wirksamkeit erwarten. Denn die Bates-Methode basiert auf genau den gleichen Prinzipien wie alle anderen Systeme, die je zur Vermittlung psychophysischer Fähigkeiten entwickelt worden sind. Was für eine Kunst auch immer man erlernen will, ob Akrobatik oder Geigenspiel, Meditieren oder Golfspielen, Schauspiel, Gesang, Tanz oder was auch sonst – eines wird jeder gute Lehrer immer wieder betonen: Lerne, Entspannung und Aktivität zu kombinieren; tue das, was du zu tun hast, ohne Anstrengung; arbeite intensiv, aber nie angespannt.

Die Kombination von Aktivität und Entspannung mag paradox erscheinen; sie ist es aber nicht. Denn es gibt zwei Arten von Entspannung: passive und dynamische. Zu passiver Entspannung kommt es bei tiefer Ruhe, durch vollständiges Sichgehenlassen. Sie ist ein ausgezeichnetes Mittel gegen Müdigkeit und vermag übermäßige Muskelspannungen und die immer damit verbundenen psychischen Spannungen aufzulösen. Aber damit ist es, so wie die Dinge liegen, nicht getan. Wir können nicht unser ganzes Leben ruhig verbringen und infolgedessen auch nicht ständig passiv entspannt sein. Es gibt aber auch etwas, was man zu Recht als dynamische Entspannung bezeichnen könnte. Dynamische Entspannung bezeichnet den Zustand von Geist und Körper, in dem diese normal und natürlich arbeiten. Bei den, wie ich sie genannt habe, elementaren psychophysischen Grundfertigkeiten kann dieser normale und natürliche Funktionszustand der betreffenden Organe verlorengehen. Wenn er verlorengegangen ist, kann er aber von jedem, der die entsprechenden Techniken erlernt hat, bewußt wiedererworben werden. Hat man ihn wiedererworben, verschwindet die mit gestörter Funktion verbundene Anstrengung, und die betroffenen Organe arbeiten in einem Zustand dynamischer Entspannung.

Fehlfunktion und Anstrengung pflegen immer dann aufzutreten, wenn das bewußte Ich die instinktiv erworbenen richtigen Gebrauchsgewohnheiten stört, sei es durch Versessenheit auf gutes Gelingen oder durch unnötige Ängstlichkeit gegenüber möglichen Fehlern. Beim Entwickeln einer psychophysischen Fertigkeit muß das bewußte Ich Anweisungen geben, aber es dürfen nicht zu viele sein – es muß die Bildung der richtigen Funktionsgewohnheiten ohne viel Aufhebens, auf bescheidene und selbstlose Art überwachen. Die große Wahrheit, die auf geistiger Ebene von den Meistern des Gebets entdeckt wurde, »Je mehr Ich, desto weniger Gott«, entdeckten die Meister der verschiedenen Künste und Fertigkeiten immer wieder auf physiologischer Ebene. Je mehr Ich, desto weniger Natur – desto weniger ungestörtes und natürliches Funktionieren des Organismus. Die medizinische Wissenschaft hat schon vor langer Zeit entdeckt, wie sehr das bewußte Ich die Abwehrkraft mindern und den Körper krank machen kann. Wenn es sich zu stark grämt oder ängstigt, wenn es sich zu lang und zu heftig sorgt oder härmt, kann das bewußte Ich den Körper so schwächen, daß zum Beispiel Magengeschwüre, Tuberkulose, koronare Herzkrankheiten und unzählige funktionelle Störungen aller Art und aller Schweregrade entstehen können. Bei Kindern wurde sogar Karies mit emotionalen Spannungen des bewußten Ich in Zusammenhang gebracht. Daß eine mit unserer Psyche so eng verknüpfte Funktion wie das Sehen durch Spannungen des bewußten Ich nicht beeinträchtigt werden soll, ist kaum anzunehmen. Tatsächlich ist es eine allgemeine Erfahrung, daß die Sehkraft durch belastende emotionale Situationen verringert wird. Jeder, der die Übungen für die Augenschulung macht, entdeckt, wie sehr das bewußte Ich das Sehen sogar dann stören kann, wenn keine belastenden Emotionen vorhanden sind. Und er entdeckt, daß das Ich beim Sehen auf genau dieselbe Weise stört wie beim Tennisspielen oder Singen – indem es sich allzu eifrig bemüht, das gesteckte Ziel zu erreichen. Aber beim Sehen, wie bei allen anderen psychophysischen Vorgängen, wird der Erfolg durch das ängstliche Bestreben, es gut zu machen, vereitelt; denn eine solche Angst ruft eine psychische und physische Anstrengung hervor, und Anstrengung verträgt sich nicht mit unserem Ziel, dem normalen und natürlichen Funktionieren.

3 Wahrnehmen + Auswählen + Erkennen = Sehen

Bevor ich die von Dr. Bates und seinen Schülern verwendeten Übungsmethoden im einzelnen beschreibe, möchte ich der Erörterung des Sehvorgangs selbst einige Seiten widmen. Ich hoffe, dadurch die Grundlagen dieser Methoden, von denen einige unerklärlich und willkürlich erscheinen könnten, etwas zu erhellen.

Beim Sehen sind die Augen und das Nervensystem die Instrumente, mit denen unser Bewußtsein die Ereignisse der Erscheinungswelt aufnimmt. Während des Sehvorgangs sind Verstand, Auge und Nervensystem eng miteinander verknüpft und bilden ein einziges Ganzes. Alles, was einen Teil dieses Ganzen betrifft, beeinflußt auch seine übrigen Teile. Wie die Praxis zeigt, können wir auf Auge und Verstand direkt einwirken. Das Nervensystem hingegen, das beides miteinander verbindet, läßt sich nur indirekt beeinflussen.

Bau und Funktion des Auges sind bis in alle Einzelheiten untersucht worden, und gute Beschreibungen dieser Dinge finden sich in jedem Handbuch der Augenheilkunde oder der physiologischen Optik. Ich will nicht versuchen, sie hier zusammenzufassen; denn mir geht es nicht um anatomische Strukturen und physiologische Mechanismen, sondern um den Sehvorgang selbst – um die Art und Weise, wie wir diese Strukturen und Mechanismen dazu verwenden, unserem Verstand die visuelle Kenntnis der Erscheinungswelt zu vermitteln.

In den folgenden Abschnitten werde ich mich des Vokabulars bedienen, das Dr. C. D. Broad in »The Mind and Its Plays in Nature« verwendet hat, einem Buch, das wegen der Scharfsinnigkeit und Gründlichkeit seiner Analysen und der Transparenz seiner Darstellung zu den großen Meisterwerken der modernen philosophischen Literatur gehört.

Der Sehvorgang kann in drei Teilvorgänge gegliedert werden – in das Wahrnehmen, das Auswählen und das Erkennen.

Was wir mit dem Sehorgan wahrnehmen, ist eine Anzahl *sensa* innerhalb eines gewissen Gesichtsfelds. (Ein visuelles *sensum* ist einer jener Farbflecken, die sozusagen das Rohmaterial für das Sehen ausmachen; und das Gesichtsfeld ist die Gesamtheit solcher Farbflecken, die in einem bestimmten Moment wahrgenommen werden.)

Auf das Wahrnehmen folgt das Auswählen, ein Prozeß, bei dem aus dem Gesichtsfeld ein bestimmter Teil herausgegriffen und von den übrigen unterschieden wird. Die physiologische Grundlage dieses Prozesses beruht auf der Tatsache, daß das Auge sein deutlichstes Bild im Zentrum der Netzhaut empfängt, in der Gegend der *macula* (gelber Fleck) mit ihrer winzigen *fovea centralis* (Sehgrübchen), der Stelle des schärfsten Sehens. Natürlich gibt es auch eine psychologische Grundlage für das Auswählen; denn in den meisten Fällen liegt im Gesichtsfeld irgend etwas, das wir genauer sehen möchten als alles andere darin.

Der letzte Vorgang ist der des Erkennens. Erst jetzt wird das wahrgenommene und ausgewählte *sensum* als Erscheinung eines Gegenstandes der Außenwelt erkannt. Wir dürfen nicht vergessen, daß Gegenstände sich uns zunächst einmal nicht als solche präsentieren. Was wir empfangen, ist nur eine Anzahl *sensa*; und ein *sensum* ist, in der Sprache von Dr. Broad, ein Gebilde »ohne Bezug«. Mit anderen Worten, das *sensum* als solches ist nur ein Farbfleck, der sich nicht primär auf einen sichtbaren Gegenstand bezieht. Ein Gegenstand erscheint erst dann, wenn wir ein *sensum* durch Unterscheidung ausgewählt und für den Vorgang des Erkennens verwendet haben. Es ist unser Verstand, der das *sensum* als Erscheinung eines sichtbaren Gegenstandes im Raum interpretiert.

Am Verhalten von Kleinkindern läßt sich sehr gut erkennen, daß wir nicht mit ausgereiften Vorstellungsbildern von Gegenständen auf die Welt kommen. Das Neugeborene nimmt am Anfang eine Masse von vagen, unbestimmten *sensa* wahr, die es nicht im einzelnen unterscheidet, geschweige denn als Gegenstände erkennt. Schritt für Schritt lernt es die für seine speziellen Bedürfnisse besonders interessanten und bedeutungsvollen *sensa* zu unterscheiden. Durch entsprechende Interpretation der ausgewählten *sensa* gelingt es ihm, nach und nach sichtbare Objekte zu erkennen. Diese Fähigkeit, *sensa* als Gegenstände der Erscheinungswelt zu interpretieren, ist wahrscheinlich angeboren; zu ihrer vollständigen Ausbildung benötigt das Kind aber eine gewisse Anzahl von Erfahrungen und ein Gedächtnis, das solche Erfahrungen speichern kann. Die *sensa* können nur dann schnell und automatisch als Gegenstände interpretiert werden, wenn der Verstand auf vorausgegangene Erfahrungen mit ähnlichen *sensa* zurückgreifen kann, die erfolgreich auf ähnliche Weise interpretiert wurden.

Beim Erwachsenen laufen die drei Vorgänge, das Wahrnehmen, das Auswählen und das Erkennen, gleichzeitig ab. Wir sind uns nur des Sehvorgangs als Ganzes bewußt und nicht der Teilvorgänge, die das Sehen ausmachen. Durch die Unterdrükkung des Verstands kann man eine Ahnung davon bekommen, wie ein bloßes *sensum* sich den Augen eines neugeborenen Kindes darbietet. Aber derartige Versuche sind auch im besten Fall nur sehr unvollkommen und von kurzer Dauer. Für den Erwachsenen ist eine vollständige Wiedererlangung der Erfahrung reiner Sinneswahrnehmung, also ohne Erkennen von Gegenständen, im allgemeinen nur unter abnormen Bedingungen möglich, wenn die höheren geistigen Funktionen durch Medikamente oder durch Krankheit außer Kraft gesetzt sind. Man kann sich der Vorgänge während ihres Ablaufs nicht bewußt werden; oft aber kann man sich an sie erinnern, wenn das Bewußtsein zum Normalzustand zurückgekehrt ist. Durch die Vergegenwärtigung dieser Erinnerungen können wir uns ein Bild jener Vorgänge des Wahrnehmens, des Auswählens und des Erkennens machen, die zusammen das Sehen von Gegenständen in der Erscheinungswelt ermöglichen.

Eine Illustration

Als Beispiel schildere ich eine persönliche Erfahrung, die ich auf dem Behandlungsstuhl eines Zahnarztes beim Auftauchen aus der Narkose machte. Die Rückkehr des Bewußtseins begann mit rein visuellen Sinneswahrnehmungen, die noch keinerlei Bedeutung beinhalteten. Soweit ich mich daran erinnern kann, handelte es sich nicht um Eindrücke von Gegenständen »da draußen« in der vertrauten dreidimensionalen Welt der täglichen Erfahrung. Es waren lediglich Farbflecken als solche, die weder zur Erscheinungswelt noch zu mir selbst in irgendeiner Beziehung standen – das Ichbewußtsein fehlte noch vollständig, und diese bedeutungslosen und von allem losgelösten Sinneswahrnehmungen gehörten nicht zu *mir*. Sie waren einfach da. Diese Art von Bewußtseinszustand dauerte ein bis zwei Minuten; als dann die Wirkung des Narkosemittels weiter nachließ, trat eine deutliche Veränderung ein. Die Farbflecken wurden nicht länger nur als Farbflecken wahrgenommen, sondern mit gewissen Gegenständen »draußen« in der sichtbaren dreidimensionalen Welt assoziiert – in meinem besonderen Fall mit den Fassaden der gegenüberliegenden Häuser, die ich, in meinem Stuhl liegend, durch das Fenster sehen konnte. Indem die Aufmerksamkeit das Gesichtsfeld abtastete, wählte sie nach und nach Stellen aus und begriff sie als Gegenstände. Die *sensa* hatten sich also von nebelhaften und bedeutungslosen Erscheinungen zu ganz bestimmten Gegenständen einer wohlbekannten Kategorie konkretisiert, die in einer vertrauten Welt greifbarer Dinge ihren Platz hatten. Einmal erkannt und klassifiziert, wurden diese Wahrnehmungen (ich bezeichne sie nicht als »meine« Wahrnehmungen, denn mein »Ich« hatte noch keinen Anteil am Geschehen) sofort deutlicher; gleichzeitig wurden nun allerlei Details erkannt und eingeordnet, die unbemerkt geblieben waren, solange die *sensa* keine Bedeutung besaßen. Was nun erfaßt wurde, war nicht mehr nur ein Haufen bloßer Farbflecke, sondern verschiedene Aspekte einer durch die Erinnerung bekannten Welt. Bekannt – aber wem? Und durch wessen Erinnerung? Eine Zeitlang gab es keinen Hinweis auf eine Antwort. Aber nach einer Weile tauchte unmerklich »Ich selbst« auf, das Subjekt der Erfahrung. Ich erinnere mich, daß mit diesem Auftauchen des »Ich« die Seheindrücke noch deutlicher wurden. Was anfangs bloße *sensa* gewesen waren, was dann durch Interpretation zu konkreten Erscheinungsbildern von einer Vielzahl bekannter Gegenstände wurde, verwandelte sich nun weiter zu Dingen, mit denen ein Selbst, ein geordnetes Gebilde aus Erinnerungen, Gewohnheiten und Wünschen bewußt in Beziehung stand. Mit diesem Bezug zum Selbst wurden die erkannten Gegenstände noch besser sichtbar, nämlich in dem Maße, wie das Selbst sich mehr für die Aspekte der sichtbaren Realität interessierte als das rein physiologische Wesen, das die Farbflecken wahrgenommen hatte, und als das etwas höher stehende, aber immer noch nicht sich seiner selbst bewußte Wesen, das die *sensa* als Erscheinungsbilder bekannter Gegenstände »draußen« in einer bekannten Welt erkannt hatte. »Ich« war nun zurückgekehrt; und da »Ich« zufällig an architektonischen Details und ihrer Geschichte interessiert war, wurden die durch das Fenster sichtbaren Gebilde sofort gedanklich als Teil einer neuen Kategorie eingestuft – nicht lediglich als Häuser, sondern als Häuser eines bestimmten Stils und einer bestimmten Epoche, ausgestattet mit charakteristischen Merkmalen, die man sogar mit so schwachen Augen, wie es meine damals waren, ausmachen konnte, wenn man nur bewußt darauf achtete. Nun wurden diese kennzeichnenden Merkmale erkannt – nicht etwa weil meine Augen plötzlich besser geworden wären, sondern einfach weil mein Verstand wieder in der Lage war, nach ihnen Ausschau zu halten und ihre Bedeutung zu erfassen.

Ich habe etwas länger bei der Schilderung dieser Erfahrung verweilt, nicht weil sie in irgendeiner Weise bemerkenswert oder neu wäre, sondern einfach darum, weil sie gewisse Sachverhalte illustriert, die sich jeder, der die Kunst des Sehens erlernen will, immer wieder vergegenwärtigen muß. Diese Sachverhalte kann man folgendermaßen formulieren:

Mit den Sinnen wahrnehmen ist nicht dasselbe wie erkennen.

Die Augen und das Nervensystem vermitteln die Sinneswahrnehmung, der Verstand erkennt.

Die Fähigkeit des Erkennens beruht auf den von dem Individuum gesammelten Erfahrungen, mit anderen Worten, auf dem Gedächtnis.

Gutes Sehen ist das Ergebnis genauer Sinneswahrnehmung und richtigen Erkennens.

Jede Verbesserung der Fähigkeit des Erkennens bewirkt im allgemeinen eine Verbesserung der Wahrnehmung und damit eine Verbesserung des Vorgangs, der sich aus diesen Komponenten ergibt, nämlich des Sehens.

Die Erinnerung als Grundlage des Erkennens

Die Tatsache, daß eine Steigerung der Fähigkeit, etwas zu erkennen, auch die Fähigkeit verbessert, es als Sinneseindruck wahrzunehmen und zu sehen, offenbart sich nicht nur unter so abnormen Umständen, wie ich sie geschildert habe, sondern auch bei ganz gewöhnlichen Tätigkeiten des täglichen Lebens. Jemand, der Erfahrung im Mikroskopieren hat, wird auf einem Präparat kleinste Einzelheiten sehen, der Neuling nicht. Der Städter wird bei einem Spaziergang durch den Wald für eine Vielzahl von Dingen blind sein, die der geschulte Naturforscher ohne weiteres sofort sieht. Der Matrose auf See wird weit entfernte Objekte entdecken, die für einen Landbewohner einfach nicht da sind. Und so weiter und so fort. In all diesen Fällen beruht die Verbesserung des Wahrnehmungsvermögens und der Sehkraft auf der Fähigkeit, etwas Bestimmtes besser zu erkennen; und diese Fähigkeit hängt ihrerseits von der Erinnerung an ähnliche Situationen in der Vergangenheit ab. Bei der schulmedizinischen Behandlung der Sehfehler wird nur einem Element des ganzen Sehvorgangs Aufmerksamkeit geschenkt, nämlich dem physiologischen Mechanismus der Sinnesorgane. Die Fähigkeit des Erkennens und die Fähigkeit des sich Erinnerns, diese Grundlage des Erkennens, werden völlig außer acht gelassen. Warum und mit welcher theoretischen Rechtfertigung dies geschieht, wissen die Götter. Denn in Anbetracht der enormen Rolle, die der Verstand bekanntlich beim Sehvorgang spielt, scheint es klar, daß jede angemessene und wirklich ursächliche Behandlung eines Sehfehlers nicht nur die Sinneswahrnehmung, sondern auch den Vorgang des Erkennens miteinbeziehen muß, wie auch jenen Vorgang des Sicherinnerns, ohne den ein Erkennen nicht möglich ist. Es ist äußerst bezeichnend für Dr. Bates, daß er bei seiner Rehabilitationsmethode für sehschwache Menschen diese geistigen Elemente des Vorgangs nicht vernachlässigt. Im Gegenteil, viele seiner höchst wertvollen Übungen sind speziell ausgerichtet auf die Verbesserung des Erkennungsvermögens und auf die des Erinnerungsvermögens, jener unabdingbaren Voraussetzung für das Erkennen.

4 Die Veränderlichkeit körperlicher und geistiger Funktionen

Das hervorstechendste Merkmal der Funktionen des gesamten Organismus oder eines seiner Teile ist die Tatsache, daß diese nicht konstant, sondern höchst veränderlich sind. Manchmal fühlen wir uns wohl, manchmal elend; manchmal ist unsere Verdauung gut, manchmal schlecht; manchmal können wir die kritischsten Situationen ruhig und gelassen meistern, manchmal macht uns die kleinste Panne reizbar und nervös. Diese Ungleichmäßigkeit der Funktion ist der Tribut dafür, daß wir lebende und unserer selbst bewußte Organismen sind, die sich unablässig ständig wechselnden äußeren Bedingungen anpassen.

Die Funktion der am Sehvorgang beteiligten Organe – das wahrnehmende Auge, das für die Weiterleitung der Impulse verantwortliche Nervensystem und das auswählende und erkennende Gehirn – ist nicht weniger veränderlich als die Funktion des gesamten Organismus oder die Funktion eines seiner Teile. Leute mit ungeschmälerter Sehkraft und guten Sehgewohnheiten besitzen sozusagen eine große visuelle Sicherheitsmarge. Selbst wenn ihre Sehorgane schlecht arbeiten, sehen diese Menschen für die meisten praktischen Zwecke immer noch gut genug. Infolgedessen sind sie sich der Veränderlichkeit ihrer Sehfunktion nicht so bewußt wie jene, die schlechte Sehgewohnheiten und geschwächte Augen besitzen. Letztere haben eine kleine oder gar keine Sicherheitsmarge; für sie hat daher jede zusätzliche Verminderung ihrer Sehschärfe deutlich wahrnehmbare und oft qualvolle Folgen.

Die Augen können durch eine ganze Anzahl von Krankheiten geschwächt werden. Bei einigen dieser Krankheiten ist nur das Auge selbst betroffen; bei anderen ist die Schädigung des Auges das Symptom einer Krankheit in einem anderen Organ des Körpers, wie zum Beispiel in der Niere, in der Bauchspeicheldrüse oder in den Mandeln. Viele andere Krankheiten und viele leichte chronische Zustände führen zwar nicht zu einer organischen Schädigung der Augen, stören aber die richtige Funktionsweise – häufig, wie es scheint, durch eine allgemeine Verminderung der körperlichen und geistigen Vitalität.

Auch falsche Ernährung und schlechte Körperhaltung[1] können das Sehvermögen beeinträchtigen.

Wiederum andere Gründe für eine Schwächung der Sehfunktion sind rein psychologischer Natur. Kummer, Sorgen, Ärger, Angst, ja eigentlich jede negative Emotion kann eine vorübergehende oder, wenn die seelische Belastung chronisch ist, eine bleibende Funktionsstörung hervorrufen.

Im Lichte dieser Tatsachen, die täglich wieder bestätigt werden, können wir erkennen, wie absurd sich der Durchschnittsbürger verhält, wenn er ein Nachlassen seiner Sehkraft feststellt. Ohne den Zustand seines Körpers und seiner Psyche zu berücksichtigen, rennt er zum nächsten Brillenladen und läßt sich dort eine Brille anpassen. Und zwar meist von jemandem,

1 Siehe Anhang 2

den er noch nie zuvor gesehen hat und der infolgedessen nichts über ihn als lebenden Organismus oder als menschliches Individuum weiß. Ungeachtet der Möglichkeit, daß das Sehvermögen durch irgendeine physische oder psychische Ursache nur vorübergehend gestört sein könnte, bekommt der Kunde seine Brillengläser; und nach einer kurzen, manchmal auch längeren Periode größerer oder kleinerer Beschwerden, während der die Augen sich »gewöhnen müssen«, wird er im allgemeinen tatsächlich besser sehen. Diese Verbesserung hat aber ihren Preis. Mit großer Wahrscheinlichkeit wird dieser Mensch nie mehr von den »wertvollen Krücken«, wie Dr. Luckiesh sie nennt, loskommen. Im Gegenteil: die Krücken müssen nach und nach in dem Maß verstärkt werden, in dem unter ihrem Einfluß das Sehvermögen sich verringert. Das ist der Lauf der Dinge – wenn alles gut geht. Aber es gibt immer ein paar Ausnahmen, bei denen die Sache schiefläuft, und für die sieht es dann wirklich schlecht aus.

Bei Kindern wird die Sehfunktion sehr leicht durch seelische Erschütterungen, Ängste und Überforderungen beeinträchtigt. Wenn sich ein Kind über Sehschwierigkeiten beklagt, lassen ihm die Eltern schnellstens eine Brille anpassen, die die Symptome überspielt, statt daß sie alles unternehmen, um die die Psyche belastende Situation zu bereinigen und dem Kind wieder richtige Sehgewohnheiten zu vermitteln. Ebenso wohlgemut wie sie ihrem kleinen Jungen ein paar Socken kaufen oder ihrem kleinen Mädchen ein Lätzchen, statten sie ihr Kind mit einer Brille aus und machen es damit für sein ganzes Leben von einem mechanischen Hilfsmittel abhängig, das zwar die Symptome der Fehlfunktion beseitigt, das deren Ursachen aber, so wie die Dinge liegen, nur eine weitere hinzufügt.

Augenblicke normalen Sehvermögens auch bei fehlsichtigen Augen

In einer frühen Phase der Augenschulung macht man eine sehr bemerkenswerte Entdeckung: Sobald die geschädigten Sehorgane einen gewissen Grad dynamischer Entspannung, wie ich es nannte, erreicht haben, kann es vorkommen, daß das Sehvermögen für einen kurzen Moment nahezu oder ganz normal wird. Bei manchen Leuten dauert dieser Moment nur wenige Sekunden, bei anderen etwas länger.

Gelegentlich – aber das ist selten – verschwinden die eingefleischten falschen Sehgewohnheiten sofort und für immer, und mit der Normalisierung der Funktion kommt es zu einer vollständigen Normalisierung des Sehvermögens. In der Mehrzahl der Fälle jedoch verschwindet die Verbesserung wieder so plötzlich, wie sie gekommen ist. Die alten, schlechten Gewohnheiten setzen sich wieder durch; und das Ereignis bleibt aus, bis Augen und Gehirn wieder bereit sind, in jenen Zustand dynamischer Entspannung zurückzukehren, der allein ein vollkommenes Sehen erlaubt. Bei Menschen, die sehr lange unter einer Beeinträchtigung des Sehvermögens gelitten haben, löst das erste Aufblitzen deutlichen Sehens nicht selten einen solchen Schock freudiger Überraschung aus, daß sie laut aufschreien oder sogar in Tränen ausbrechen. Wenn die Kunst der dynamischen Entspannung immer perfekter beherrscht wird, wenn der richtige Gebrauch der Augen sich eingespielt hat und wenn die visuellen Vorgänge natürlicher ablaufen, werden die Intervalle besseren Sehens immer häufiger und dauern länger, bis sich aus ihnen schließlich ein kontinuierliches normales Sehen entwikkelt. Dieses dauernd aufrechtzuerhalten – das ist das große Ziel der von Dr. Bates und seinen Schülern entwickelten Erziehungsmethode.

Bei der kurzzeitigen, blitzartigen Verbesserung der Sehschärfe handelt es sich um eine empirische Tatsache, die jedermann selbst überprüfen kann, wenn er nur die Bedingungen dazu erfüllen will. Die Tatsache, daß man während eines solchen Ereignisses Dinge, die man sonst nur verschwommen oder gar nicht sieht, äußerst scharf sehen kann, beweist, daß eine momentane Linderung muskulärer und geistiger Überanstrengung zur Verbesserung der Sehfunktion und zum zeitweiligen Verschwinden von Brechungsfehlern führen kann.

Das fehlsichtige Auge kann das Ausmaß der ihm durch falschen Gebrauch aufgezwungenen Verformung bei einem Wechsel der Bedingungen verändern. Diese Fähigkeit zur Veränderung, sei es vom normalen Zustand weg oder zu ihm hin, wird durch das Tragen künstlicher Korrekturgläser mechanisch eingeschränkt oder sogar ganz blockiert. Der Grund dafür ist einfach. Jedes Brillenglas kann nur einen ganz bestimmten Brechungsfehler korrigieren. Das heißt, ein Auge kann mit einer Linse nur dann scharf sehen, solange es genau den Brechungsfehler aufweist, für den die Linse geschaffen wurde. Jeder Versuch des bebrillten Auges, seine natürliche Selbstregulation auszuüben, ist von vornherein zum Scheitern verurteilt, denn er kann nur zu einer Verschlechterung des Sehens führen. Dies gilt selbst für den Fall, daß sich das Auge zum Normalzustand hin verändern möchte; wie soll ein normalsichtiges Auge mit einem Brillenglas scharf sehen, das ihm wegen eines nicht mehr vorhandenen Brechungsfehlers vorgesetzt wurde?

Es ist offensichtlich, daß das Tragen einer Brille die Augen zu rigider und unwandelbarer struktureller Bewegungslosigkeit verurteilt. In dieser Hinsicht ähneln Augengläser nicht etwa den Krücken, mit denen Dr. Luckiesh sie vergleicht, sondern eher Schienen, Eisenklammern und Gipsverbänden.

Es lohnt sich, in diesem Zusammenhang auf gewisse neue, revolutionäre Fortschritte bei der Behandlung der Kinderlähmung hinzuweisen. Die neuen Methoden wurden von Elizabeth Kenny, einer australischen Krankenschwester, entwickelt; sie sind in ihrem eigenen Land und in den Vereinigten Staaten erfolgreich angewendet worden. Bei der alten Behandlungsmethode wurden die gelähmten Muskelgruppen durch Schienen und Gipsverbände immobilisiert. Schwester Kenny will mit derlei Dingen nichts zu tun haben. Statt dessen benutzt sie von Krankheitsbeginn an eine Reihe von Techniken, die zum Ziel haben, die befallenen Muskeln zu entspannen und zu trainieren, von denen manche sich in einem spastischen Kontraktionszustand befinden, während andere (die wegen der Verkrampfung in den benachbarten Muskelgruppen bewegungsunfähig sind) schnell »vergessen«, wie sie zu funktionieren hätten. Die physiotherapeutischen Maßnahmen, wie zum Beispiel die Applikation von Wärme, werden durch einen Appell an die psychischen Kräfte des Patienten ergänzt, und zwar durch mündliche Anweisungen und durch Demonstrationen. Die Resultate sind bemerkenswert. Bei der neuen Behandlung beträgt die Erholungsrate 75 bis 100 Prozent, je nach Ort der Lähmung.

Die Methode von Kenny und die, die Dr. Bates entwickelt hat, weisen große, charakteristische Ähnlichkeiten auf. Beide lehnen die künstliche Ruhigstellung kranker Organe ab. Beide bestehen auf der Wichtigkeit der Entspannung. Beide bestätigen, daß eine Funktionsstörung durch geeignete Koordination von Psyche und Körper normalisiert werden kann. Und schließlich: Beide sind wirksam.

5 Ursachen visueller Funktionsstörungen: Krankheiten und emotionale Probleme

Im vorangegangenen Kapitel sprach ich von den Beeinträchtigungen der Sehfunktion, deren Ursachen erstens eine Krankheit im Auge selbst oder sonstwo im Körper sein kann, zweitens eine psychische Störung, die mit Angst, Wut, Sorge, Kummer und ähnlichem verbunden ist. Es versteht sich von selbst, daß in diesen Fällen zuerst die physiologischen und psychologischen Ursachen zu beseitigen sind, bevor eine vollständige Wiederherstellung der Sehfunktion möglich ist. In der Zwischenzeit kann aber fast immer schon dadurch eine bedeutende Besserung erzielt werden, daß man die Kunst des Sehens erlernt und praktiziert.

Es gilt als allgemeines physiologisches Prinzip, daß die Verbesserung einer bestimmten Körperfunktion die Verbesserung der organischen Struktur des betroffenen Körperteils mit sich bringt. Bei den Krankheiten, die ihren Sitz im Auge selbst haben, wirken nicht selten schlechte Funktionsgewohnheiten als kausale oder prädisponierende Faktoren. Infolgedessen führt der Erwerb neuer und besserer Sehgewohnheiten oft zu einer schnellen Verbesserung der organischen Struktur des geschädigten Auges.

Selbst wenn das Augenleiden nur Symptom für eine Krankheit ist, die irgendwo anders im Körper sitzt, wird der Erwerb guter Sehgewohnheiten den organischen Zustand der Augen bis zu einem gewissen Grad verbessern können.

Mit den psychisch bedingten Störungen verhält es sich gleich. Eine perfekte Funktion kann kaum erwartet werden, solange die negativen psychischen Bedingungen, welche die Fehlfunktion verursachen, weiter bestehen. Dennoch kann aber das konsequente Üben der Kunst des Sehens viel zur Verbesserung der Funktion beitragen, selbst wenn der unerwünschte seelische Zustand weiter besteht; und ohne die Kunst des Sehens wird man schlechte Sehgewohnheiten, die man sich durch die Einwirkung der schädlichen psychischen Bedingungen angeeignet hat, nur schwer wieder los, selbst wenn diese Bedingungen entfallen sind. Außerdem wirkt sich eine Sehverbesserung möglicherweise günstig auf die psychische Störung aus. Die meisten Störungen der Sehfunktion führen nämlich zu nervösen Spannungen. (Weitsichtige Menschen, vor allem jene, die zum Auswärtsschielen neigen, leiden oft unter extremen nervösen Spannungen und können unter Umständen in einen Zustand fast psychotisch anmutender, ruheloser Betriebsamkeit geraten.) Solche nervösen Spannungen verschlimmern die schlechte psychische Verfassung noch mehr. Der verschlechterte psychische Zustand führt zu stärkeren Funktionsstörungen und damit zu größeren nervösen Spannungen; die vermehrten Spannungen verschlimmern wiederum den psychischen Zustand. Und so weiter – in einem Teufelskreis. Aber glücklicherweise gibt es auch andere Kreise! Eine Funktionsverbesserung vermindert die mit der Funktionsstörung verbundenen Spannungen, wodurch die allgemeine Verfassung günstig beeinflußt wird. Natürlich genügt nicht allein Entspannung, um psychische Störungen zu beheben; diese werden aber mit der Zeit besser erträglich und beeinträchtigen die Sehfunktion weniger stark.

Die Quintessenz all dieser Überlegungen ist klar: Wo man mit gutem Grund annehmen kann, daß die mangelhafte Sehfunktion ganz oder teilweise durch Krankheit oder emotionale Störungen bedingt ist, soll man alles unternehmen, um diese Ursachen loszuwerden; in der Zwischenzeit aber erlerne man die Kunst des Sehens.

Ursachen visueller Funktionsstörungen: Langeweile

Ein weiteres häufiges Hindernis für gutes Sehen ist Langeweile; sie senkt die allgemeine körperliche und geistige Vitalität, einschließlich derjenigen der Sehorgane. Dem Artikel von Joseph E. Barmack »Boredom and other Factors in the Physiology of Mental Effort«, erschienen in »Archives of Psychology« (New York 1937), habe ich einige Passagen entnommen, die für unser Thema nicht unwichtig sind.

»Berichte über Langeweile sind sehr häufig mit der Feststellung einer stärkeren Wahrnehmung unangenehmer Empfindungen wie zum Beispiel Schmerzen, Kopfweh, Hunger und Verspannungen der Augengegend gekoppelt.«

Verstärkt empfundenes Spannungsgefühl im Augenbereich führt zu einer noch größeren Anstrengung beim Sehen; diese bewirkt (auf eine Art und Weise, die im nächsten Abschnitt erklärt werden soll) zusammen mit dem Bemühen, die Aufmerksamkeit trotz der Langeweile auf etwas zu fixieren, eine Verminderung der Sehkraft und infolgedessen eine noch stärkere Überanstrengung der Augen.

Über die Auswirkung verschiedener Gemütszustände auf den Körper schreibt Barmack folgendes:

»Wenn wir uns langweilen, kommt uns eine Situation deshalb so unangenehm vor, weil wir uns aus Mangel an Motivation physiologisch nicht richtig an sie anpassen.«

Diese Aussage ist auch umgekehrt richtig. Eine ungenügende physiologische Anpassung aufgrund eines funktionellen oder organischen Defekts (in unserem Fall eines Defekts der Sehorgane) kann die Motivation und den Willen eines Menschen, eine bestimmte Aufgabe zu lösen, schwächen, weil es für ihn so schwierig ist, die Aufgabe gut zu lösen. Dies wiederum läßt die physiologische Anpassung noch unzulänglicher werden – und so weiter, in einem Teufelskreis; die Langeweile verschlimmert die Funktionsstörung, und die Funktionsstörung verschlimmert die Langeweile. Dieser Vorgang kann besonders gut bei fehlsichtigen Kindern beobachtet werden. Weil das weitsichtige Kind das Lesen unbequem findet, langweilt es sich bei dieser Tätigkeit, und seine Langeweile verstärkt die Funktionsstörung, die es weitsichtig werden läßt. Ähnlich liegen die Dinge beim kurzsichtigen Kind. Beim Spiel oder beim Umgang mit Menschen, deren Gesichter es ja nur aus nächster Nähe erkennen kann, ist es behindert; infolgedessen langweilt es sich beim Sport und in Gesellschaft anderer, und diese Langeweile wiederum wirkt sich ungünstig auf seinen Sehfehler aus. Eine Steigerung des Sehvermögens verbessert die Motivation und verringert die Anzahl der Lebensbereiche, in denen Langeweile aufkommen kann. Weniger Langeweile und Steigerung der Motivation verbessern die physiologische Anpassung und damit das Sehvermögen selbst.

Und wieder ist die Quintessenz klar. Vermeiden Sie, wenn immer möglich, sich selbst oder andere zu langweilen. Wenn das aber nicht zu vermeiden ist, sollten Sie wenigstens die Kunst des Sehens erlernen und sie auch Ihren »Opfern« beibringen.

Ursachen visueller Funktionsstörungen:
Fehlgerichtete Aufmerksamkeit

Alle bisher erwähnten physischen und psychischen Faktoren, die zur Ursache visueller Funktionsstörungen werden können, liegen sozusagen außerhalb des Sehvorgangs. Wir haben uns nun mit einer anderen, fast noch gewichtigeren Ursache für

Funktionsstörungen zu befassen, die im Sehvorgang selbst liegt: nämlich mit der Unfähigkeit, die Aufmerksamkeit richtig einzusetzen.

Die Aufmerksamkeit ist die unerläßliche Voraussetzung für die beiden geistigen Elemente des Sehvorgangs; ohne Aufmerksamkeit ist es unmöglich, aus der Gesamtheit der Sinneswahrnehmungen gewisse *sensa* auszuwählen und als Erscheinungen von Gegenständen zu erkennen.

Wie bei allen psychophysischen Tätigkeiten gibt es auch bei der Lenkung der Aufmerksamkeit eine richtige und eine falsche Art. Wenn die Aufmerksamkeit richtig eingesetzt wird, ist die visuelle Funktion gut; wenn sie falsch eingesetzt wird, kommt es zu einer Beeinträchtigung der Funktion, und die Sehkraft nimmt ab.

Zum Thema Aufmerksamkeit ist viel geschrieben worden, und viele Experimente sind durchgeführt worden, um zu messen, wie intensiv sie ist, wie groß ihre Spannbreite ist, wie lange sie tatsächlich aufrechterhalten werden kann und wie ihre Wechselbeziehungen zum Körper sind. Für unser Thema sind nur ein paar dieser allgemeinen Betrachtungen und speziellen Ergebnisse von Bedeutung, und ich werde mich deshalb ausschließlich auf diese beschränken.

Die Aufmerksamkeit ist im wesentlichen ein Unterscheidungsvorgang – ein Akt des Aussonderns und Isolierens eines bestimmten Gegenstandes oder Gedankens aus der Fülle der Sinneswahrnehmungen und der Gedanken. Im Sehvorgang ist die Aufmerksamkeit eng mit dem Vorgang des Auswählens gekoppelt; sie ist sogar fast mit diesem Vorgang identisch. Die verschiedenen Arten und Grade von Aufmerksamkeit können auf mannigfaltige Weise klassifiziert werden. Bei der wichtigsten Einteilung im Zusammenhang mit dem Sehen unterscheidet man zwei Hauptarten von Aufmerksamkeit, nämlich die spontane und die vorsätzliche Aufmerksamkeit.

Die spontane Aufmerksamkeit haben wir mit den höheren Tieren gemein – es ist der zwanglose Akt des Auswählens durch das Bewußtsein, der von biologischen Notwendigkeiten wie Lebenstrieb und Arterhaltung oder von den Forderungen unserer zweiten Natur, d. h. unseren Gewohnheiten und eingefahrenen Gedanken-, Gefühls- und Verhaltensmustern, gesteuert wird. Diese Art von Aufmerksamkeit ist mit keinerlei Anstrengung verbunden, wenn sie von Punkt zu Punkt wandern kann, und läßt sich ohne weiteres zeitlich ausdehnen – sogar bei Tieren. (Die Katze, die vor einem Mauseloch auf der Lauer liegt, ist hierfür ein anschauliches Beispiel.)

Die willkürliche Aufmerksamkeit ist sozusagen die »kultivierte Abart« dieser spontan gewachsenen »Wildpflanze«. Sie kommt nur beim Menschen vor und bei gewissen Tieren, die durch den Menschen einem bestimmten Training unterworfen worden sind. Diese Art der Aufmerksamkeit wird bei der Lösung von schwierigen oder nicht besonders interessanten Aufgaben eingesetzt. Ein kleiner Junge, der Algebra lernt, bringt willkürliche Aufmerksamkeit auf – d. h. wenn er überhaupt Aufmerksamkeit aufbringt! Beim Spiel wird derselbe Junge ohne weiteres spontane Aufmerksamkeit zeigen. Willkürliche Aufmerksamkeit ist immer mit Anstrengung verbunden und führt gewöhnlich früher oder später zu Ermüdung.

Wir haben uns nun den Zusammenhängen zwischen der Aufmerksamkeit und dem Körper zuzuwenden, soweit sie die Kunst des Sehens betreffen. Die erste und wichtigste Tatsache ist, daß Wahrnehmen, Auswählen und Erkennen nicht ohne ein gewisses Maß an Körperbewegungen zustandekommen können.

»Ohne motorische Elemente«, schreibt Ribot in seiner klassischen Studie »The Psychology of Attention«, »ist die Perzeption unmöglich.« (Aus dem Zusammenhang geht hervor, daß er unter diesem Begriff Wahrnehmen und Auswählen wie auch Erkennen subsumiert.) »Wenn man das Auge starr auf ein bestimmtes Objekt fixiert, wird die Perzeption nach einer Weile undeutlich und verschwindet dann ganz. Lassen Sie einmal Ihre Fingerspitzen leicht auf einer Tischplatte ruhen; nach einigen Minuten werden Sie den Kontakt nicht mehr fühlen. Aber eine Bewegung der Augen oder der Finger, sei sie auch noch so gering, wird Ihnen die Perzeption zurückbringen. Sinneswahrnehmung ist an Wechsel gebunden, Wechsel aber bedeutet Bewegung. Zu diesem Thema ließe sich noch sehr viel mehr sagen; doch obschon diese Tatsachen offenkundig sind, hat die Psychologie die Bedeutung der Bewegung so wenig berücksichtigt, daß sie schließlich vergaß, daß diese eine grundlegende Voraussetzung für das Erkenntnisvermögen ist und ein Instrument des grundlegenden Gesetzes, nämlich des Gesetzes der Relativität, der Veränderung. Wo keine Bewegung ist, da gibt es keine Perzeption; das bisher Gesagte sollte genügen, um diesem Satz uneingeschränkte Gültigkeit zu verschaffen.«

Es sind nun mehr als fünfzig Jahre vergangen, seit Ribot diese wichtige Wahrheit über die Zusammenhänge zwischen Bewegung und Perzeption formuliert hat. In der Theorie gibt heute jedermann Ribot recht; und doch haben die orthodoxen Augenärzte nichts unternommen, um herauszufinden, ob und wie sich diese Theorie in der Praxis anwenden ließe, um zum Beispiel die Sehfunktion zu verbessern. Dies sollte Dr. Bates vorbehalten bleiben; bei seiner Methode der Augenschulung wird die fundamentale Wichtigkeit der Bewegung als Beitrag zum Sehen stets hervorgehoben.

Inzwischen haben die Forschungsergebnisse der Experimentalpsychologen Ribots kategorische Schlußfolgerungen bestätigt und theoretische Rechtfertigungen für viele der von Dr. Bates und seinen Schülern gelehrten Praktiken und Techniken erbracht.

So hält zum Beispiel Dr. J. E. Barmack in der bereits zitierten Arbeit fest: »Das freie Wandernlassen der Aufmerksamkeit ist eine wichtige Stütze der Vitalität. Wenn die Aufmerksamkeit auf eine nicht genügend motivierende Aufgabe beschränkt wird, kann es zu einem Absinken der Vitalität kommen.« Die Wichtigkeit der Beweglichkeit wird in ähnlicher Weise auch von Professor Abraham Wolf betont, und zwar in seinem Artikel »Attention« in der neuesten Ausgabe der »Encyclopaedia Britannica«: »Die Konzentration der Aufmerksamkeit auf einen Gegenstand oder einen Gedanken kann vom gesunden Menschen für recht lange Zeit aufrechterhalten werden. Was man aber gemeinhin einen Gegenstand oder Gedanken nennt, ist ein sehr komplexes Gebilde mit vielen verschiedenen Teilen oder Aspekten, und in Wirklichkeit springt unsere Aufmerksamkeit die ganze Zeit von einer Stelle zur anderen. Ohne die Möglichkeit, von Punkt zu Punkt zu springen, kann unsere Aufmerksamkeit nicht länger als etwa eine Sekunde auf einen wirklich isolierten einzelnen Gegenstand gerichtet sein, etwa einen kleinen Farbfleck, außer wir riskieren ernsthaft, in Trance oder in einen ähnlichen pathologischen Zustand zu verfallen.« Beim Sehen wird dieses stete Wandern der Aufmerksamkeit von einem Punkt des betrachteten Objekts zum anderen normalerweise von einer entsprechenden Bewegung der Sinnesorgane begleitet. Der Grund dafür ist einfach. Die schärfsten Bilder werden vom gelben Fleck im Zentrum der Netzhaut empfangen, im speziellen von der winzigen *fovea centralis*. Wenn das Gehirn einen Teil des Objektes nach dem anderen auswählt, um ihn zu erkennen, läßt es die Augen sich so bewegen, daß alle Teile des Objektes nacheinander jeweils gerade von jener Stelle im Auge gesehen werden, die das schärfste Bild empfängt. (Die Ohren besitzen nichts, was der *fovea centralis* entsprechen würde; das unerläßliche Wandern der Aufmerksamkeit innerhalb des Hörfelds bedingt also keine entsprechende Bewegung des Körperorgans. Das Gehirn kann akustische *sensa* unterscheiden, ohne daß dazu eine entsprechende Bewegung der Ohren notwendig ist.)

Wir haben gesehen, daß die Aufmerksamkeit beim Sehen stets wandern muß, wenn sie wirksam sein soll, und daß sich die Augen wegen ihrer *fovea centralis* ununterbrochen mitbewegen müssen. Während aber aufmerksames Sehen beim gesunden Menschen ununterbrochene Bewegungen der Augen bedingt, führt es in anderen Teilen des Körpers zu einer Verminderung von Bewegungen. Jede Körperbewegung löst eine mehr oder weniger vage Empfindung aus; und wenn wir versuchen, unsere Aufmerksamkeit auf etwas Bestimmtes zu richten, lenken uns diese Körperempfindungen ab. Um solche Ablenkungen zu unterdrücken, tun wir alles, um unseren Körper so ruhig wie möglich zu halten. Wenn wir auf eine bestimmte Handlung oder Tätigkeit konzentriert sind, bemühen wir uns, alle für die Erledigung unserer Aufgabe nicht notwendigen Bewegungen zu unterlassen. Wenn wir keine Handlung vollziehen müssen, versuchen wir, jegliche Bewegung zu unterlassen und unseren Körper ganz still zu halten. Wir alle kennen das Verhalten der Zuhörer im Konzertsaal. Während die Musik gespielt wird, sitzen die Menschen regungslos da. Sobald der letzte Ton verklungen ist, bricht gleichzeitig mit dem Applaus (oder auch ohne diesen, wenn es sich um eine Pause zwischen zwei Sätzen einer Symphonie handelt) ein wahrer Tornado von Husten, Niesen und allerlei Bewegungen los. Die Intensität dieses Ausbruchs ist ein Indikator dafür, wie sehr die Körperbewegungen durch die auf die Musik gerichtete Aufmerksamkeit eingeschränkt waren. Francis Galton machte sich einmal die Mühe, in einer ziemlich langweiligen Vorlesung mit einer Zuhörerschaft von fünfzig Personen die Körperbewegungen zu zählen, die zu beobachten waren. Er kam auf durchschnittlich 45 Bewegungen pro Minute oder fast eine Bewegung pro Zuhörer. Wenn sich der Dozent selten genug einmal zu einem etwas lebendigerem Vortrag hinreißen ließ, sank die Bewegungsrate um mehr als fünfzig Prozent.

Die Einschränkung willkürlicher Bewegungen geht Hand in Hand mit einer Einschränkung unwillkürlicher Körperfunktionen. Hier einige Befunde über die Atmung und den Herzschlag, die R. Philip in einem von der Catholic University of America 1928 publizierten Artikel über »The Measurement of Attention« zusammengefaßt hat:

»Bei visueller Aufmerksamkeit wird die Atmung flacher; die Häufigkeit der Atemzüge pro Zeiteinheit nimmt manchmal zu, manchmal ab. Bei auditiver Aufmerksamkeit nimmt die Häufigkeit der Atemzüge stets ab; die Atmung kann sowohl flacher als auch tiefer werden. Die Einschränkung der Atemtätigkeit verlangsamt oft den Herzschlag, vor allem in der ersten Phase der Aufmerksamkeit. Diese Verlangsamung des Herzschlages ist eher durch den Einfluß der Atemhemmung als durch den direkten Einfluß der Aufmerksamkeit zu erklären.«

Ununterbrochene Bewegung der Augen, Einschränkung der Bewegungen des übrigen Körpers – das sind also die Regeln der Aufmerksamkeit beim Sehen. Und solange diese Regeln nicht verletzt werden und keine Krankheit oder psychische

Störung vorliegt, bleibt die Sehfunktion normal. Zu Unregelmäßigkeiten kommt es dann, wenn die Bewegungseinschränkung, die für die übrigen Teile des Körpers gut und richtig ist, auf die Augen übertragen wird, wo sie absolut fehl am Platze ist. Diese Hemmung der Augenbewegung – einer Bewegung, die zum größten Teil unbewußt ist – wird durch ein zu starkes Verlangen, etwas genau zu sehen, verursacht. In unserem Übereifer immobilisieren wir unbewußt unsere Augen in der gleichen Weise, wie wir die übrigen Teile unseres Körpers immobilisiert haben. Das Ergebnis ist, daß wir auf den Teil des Blickfeldes, den wir wahrzunehmen versuchen, zu starren beginnen. Wer aber starrt, betrügt sich selbst; denn statt mehr zu sehen, schwächt er durch die Immobilisierung seiner Sinnesorgane (mit der er auch die eng mit ihnen verbundene Aufmerksamkeit schwächt) automatisch seine Sehkraft. Diese ist, wie wir gelernt haben, von der ständigen Bewegung der wahrnehmenden Augen abhängig, wie auch von der Beweglichkeit des auswählenden und erkennenden Verstands.

Dazukommt, daß das Starren (da es einen Versuch darstellt, normale und gewohnte Bewegungen zu unterdrücken) immer von übermäßiger und ununterbrochener Spannung begleitet ist, die wiederum ein Gefühl der psychischen Überanstrengung hervorruft. Wo aber übermäßige und ununterbrochene Spannung herrscht, ist eine normale Funktion unmöglich, die Blutzirkulation wird vermindert, und die Gewebe verlieren ihre Abwehr- und Selbstheilungskraft. Um die Folgen der Funktionsstörung loszuwerden, starrt der an seine schlechten Sehgewohnheiten gebundene Fehlsichtige noch mehr und sieht trotz verstärkter Anstrengung immer weniger. Und so geht es endlos weiter.

Es gibt gute Gründe, anzunehmen, daß falsch eingesetzte Aufmerksamkeit und die durch sie hervorgerufene Immobilisierung der Augen und des Verstandes die häufigste Ursache für visuelle Funktionsstörungen ist. Der Leser wird bei der detaillierten Beschreibung der von Dr. Bates und seinen Schülern entwickelten Übungstechniken bemerken, daß viele davon speziell auf die Wiederherstellung der Beweglichkeit der

Augen und des Verstandes ausgerichtet sind, ohne die es – darin sind sich die Experimentalpsychologen einig – keine normale Sinneswahrnehmung und kein richtiges Erkennen gibt.

Teil II

6 Entspannung

In diesem zweiten Teil werde ich ziemlich ausführlich eine Anzahl nützlicher Übungstechniken beschreiben, die von Dr. Bates und anderen Vertretern der Kunst des Sehens entwikkelt worden sind. Eine schriftliche Anleitung kann zwar niemals die persönliche Betreuung durch einen kundigen Lehrer ersetzen; auch ist es nicht möglich, in einem kleinen Buch genau anzugeben, welche Bedeutung einer bestimmten Technik in einem bestimmten Fall mangelhaften Sehvermögens jeweils beigemessen werden soll. Jedes Individuum steht vor seinen eigenen, ganz besonderen Problemen. Mit dem notwendigen Wissen ausgestattet, kann aber jedermann die Lösung seiner Probleme selbst entdecken. Unter dem Einfluß eines begabten und erfahrenen Lehrers macht man allerdings eine solche Entdeckung sehr viel schneller (besonders in schwierigen Fällen); und ein Lehrer kann sein Wissen viel wirkungsvoller einsetzen als der Betroffene selbst. Und doch haben schriftliche Anweisungen ihren Sinn. Denn die Kunst des Sehens schließt einige Übungstechniken ein, die für alle Menschen nützlich sind, was auch immer das Wesen und das Ausmaß ihrer Funktionsstörung sei. Die meisten dieser Techniken sind äußerst einfach; deshalb besteht kaum die Gefahr, daß sie von denen, die sie lesen, mißverstanden werden. Ein Buch kann niemals einen kompetenten Lehrer ersetzen; aber es ist gewiß besser als gar nichts.

Passive Entspannung: Das Zudecken der Augen mit den Handtellern

Wie wir gesehen haben, gibt es zwei Arten der Entspannung: die passive und die dynamische. Die Kunst des Sehens umfaßt Übungen für beide – für die passive Entspannung der Sehorgane während Zeiten der Ruhe und für die dynamische Entspannung, der normalen und natürlichen Funktion während Zeiten der Aktivität. Zwar kann die vollständige passive Entspannung auch im Bereich der Sehorgane herbeigeführt werden; allein ist sie aber weniger wirksam als die Kombination von Elementen beider Entspannungsformen.

Die wichtigste Technik der (hauptsächlich) passiven Entspannung ist das Verfahren, das Dr. Bates »palming« (von lateinisch *palma*, der Handteller) genannt hat. Dabei werden die Augen geschlossen und mit beiden Handtellern zugedeckt. Um jeden Druck auf die Augäpfel zu vermeiden (die nie gedrückt, gerieben, massiert oder sonstwie mechanisch »behandelt« werden sollten), soll der untere Teil des Handtellers auf den Wangenknochen ruhen und die Finger auf der Stirn. Auf diese Weise kann das Licht vollständig ausgeschlossen werden, obwohl die Augen selbst nicht berührt werden.

Dieses Zudecken der Augen mit den Handtellern kann am besten im Sitzen ausgeführt werden, wobei man die Ellbogen auf einen Tisch oder auf ein großes, festes Kissen über den Knien aufstützt.

Wenn die Augen geschlossen sind und alles Licht durch die Hände abgehalten wird, stellen Menschen mit entspannten Sehorganen fest, daß ihr Gesichtsfeld von gleichmäßigem Schwarz ausgefüllt ist. Bei Menschen mit abnormer Sehfunktion ist dies nicht der Fall. Statt Schwarz sehen diese Menschen graue, sich bewegende Wolken oder Lichtstreifen und Farbflecken, welche das Dunkel durchziehen, und zwar alles in endlosen Variationen und Kombinationen. Beim Erreichen der passiven Entspannung von Augen und Gehirn verschwinden diese aus Bewegung, Licht und Farbe bestehenden Trugbilder und werden von gleichmäßigem Schwarz abgelöst.

In seinem Buch »Perfect Sight without Glasses« weist Dr. Bates den Entspannungssuchenden an, sich beim Zudecken der Augen »Schwarz vorzustellen«. Dies soll dazu führen, daß man mit Hilfe der Vorstellungskraft tatsächlich Schwarz sieht. Die von Bates beschriebene Technik funktioniert in gewissen Fällen tatsächlich; in anderen aber (und wahrscheinlich bei der Mehrzahl aller an Sehfehlern leidenden Menschen) führt der Versuch, Schwarz zu sehen, oft zu einer unbewußten Anstrengung und damit zu Verkrampfung. Diese Methode geht somit an ihrem Ziel, der Entspannung, vorbei. Gegen Ende seines Lebens änderte Dr. Bates sein Vorgehen in diesem Zusammenhang, und seine erfolgreichsten Schüler haben dasselbe getan. Der Übende wird nicht mehr aufgefordert, sich Schwarz vorzustellen, sondern sich an angenehme Szenen und Erlebnisse zu erinnern. Früher oder später, je nach der Intensität der vorausgegangenen Überanstrengung, wird das gesamte Gesichtsfeld als Schwarz empfunden. So erreicht man dasselbe Ziel, wie wenn man sich Schwarz vorstellt – aber ohne das Risiko, sich anzustrengen oder zu verspannen. Es ist auch darauf zu achten, bei der Erinnerung an frühere Perioden alles zu vermeiden, was einem »geistigen Starren« gleichkommen könnte. Wenn man auf ein einzelnes Erinnerungsbild starrt, produziert man leicht eine entsprechende Fixierung und Immobilisierung der Augen. (Das ist nicht weiter überraschend oder mysteriös; in der Tat sollte man im Hinblick auf die ganzheitliche Natur des menschlichen Organismus, also der körperlichseelischen Einheit, ein solches Phänomen geradezu erwarten.) Um das geistige Starren und die damit verbundene Blockierung der Augen zu vermeiden, sollte man beim Zudecken der Augen mit den Handtellern immer an Objekte denken, die sich bewegen.

Man kann sich zum Beispiel vornehmen, die Gegend seiner Kindheit im Geiste zu besuchen. Dabei sollte man sich vorstellen, wie man durch die betreffende Landschaft spaziert, und darauf achten, wie sich ihr Bild durch die eigene Fortbewegung verändert. Gleichzeitig kann man die vorgestellten Szenen mit Menschen, Hunden und Fahrzeugen bevölkern, die sich alle bewegen, während ein frischer Wind die Blätter der Bäume rauschen und die Wolken am Himmel vorüberziehen läßt. In einer solchen Welt der Phantasie, wo nichts festgelegt oder unbeweglich ist, läuft man nicht Gefahr, das innere Auge durch Starren zu immobilisieren; und wenn das innere Auge zwanglos umherschweifen kann, genießt das äußere, physische Auge eine ähnliche Freiheit. Durch die Anwendung des Erinnerungsvermögens und der Vorstellungskraft in der von mir beschriebenen Art und Weise wird es möglich, die heilsamen Eigenschaften der passiven und der dynamischen Entspannung – nämlich Ruhe und natürliches Funktionieren – beim Zudekken der Augen miteinander zu kombinieren.

Dies ist, glaube ich, einer der wichtigsten Gründe, warum

das Zudecken der Augen mit den Handtellern für die Sehorgane besser ist als irgendeine Form ausschließlich passiver Entspannung. Diese kann zwar, wenn die Tätigkeit des Gedächtnisses und der Vorstellungskraft vollständig ruht, nach einiger Übung so weit vorangetrieben werden, daß die Augenlider und der Augapfel ihren Tonus verlieren und ganz weich werden. Dieser Zustand der Augen ist aber so weit vom Normalen entfernt, daß er wenig oder gar nichts zur Verbesserung des Sehvermögens beiträgt. Beim Zudecken der Augen bleiben die geistigen Kräfte der Aufmerksamkeit und des Erkennens aktiv und können sich ohne Anstrengung frei auswirken, wie es für sie natürlich ist, während gleichzeitig die Augen sich ausruhen.

Die anderen entscheidenden Gründe für die Wirksamkeit dieser Übung betreffen den Körper. Der zeitweilige Ausschluß des Lichts ist erholsam, und die Wärme der Handflächen ergibt ein Gefühl der Behaglichkeit. Dazukommt, daß jeder Teil des Körpers seine eigenen, charakteristischen elektrischen Potentiale besitzt, und es ist möglich, daß die auf die Augen gelegten Hände den elektrischen Zustand der ermüdeten Organe irgendwie verändern – in der Weise, daß die Gewebe gestärkt werden und indirekt das Gehirn beruhigt wird.

Sei es, wie es wolle, die Ergebnisse des Augenzudeckens sind bemerkenswert. Die Ermüdung wird schnell beseitigt – und wenn die Augen wieder aufgedeckt werden, stellt man oft eine deutliche Verbesserung des Sehvermögens fest, wenigstens für gewisse Zeit.

Bei Überanstrengung und bei mangelhaftem Sehvermögen kann diese Übung gar nicht oft genug ausgeführt werden. Viele, die ihre wohltuende Wirkung erfahren haben, nehmen sich bewußt regelmäßig Zeit dafür. Andere ziehen es vor, immer dann zu üben, wenn sich im Lauf des Tages gerade eine Gelegenheit ergibt oder wenn ihre Ermüdung sie dazu zwingt, sich eine solche Gelegenheit zu schaffen. Auch im geschäftigsten Leben gibt es unausgefüllte, freie Momente, die vorteilhaft genützt werden können, indem man Augen und Gehirn entspannt und so eine Verbesserung des Sehvermögens für die nachfolgende Arbeit gewinnt. Auf alle Fälle sollte man immer daran denken, daß Vorbeugen besser ist als Heilen und daß man sich selbst viele Stunden der Ermüdung und der verminderten visuellen Leistungsfähigkeit ersparen kann, wenn man einige Minuten für die Entspannung aufwendet. Wir alle sind, wie F. M. Alexander es formuliert hat, »Zielstreber«, die keine Rücksicht auf Verluste nehmen. Wer eine Weile darüber nachdenkt, muß zugeben, daß aber das Wesen des erreichten Ziels stets von der Art der verwendeten Mittel abhängig ist. Im Falle der Augen und des ihnen übergeordneten Gehirns bewirken Mittel, die mit einer ununterbrochenen Überanstrengung einhergehen, nur eine Verminderung des Sehvermögens sowie eine allgemeine körperliche und geistige Ermüdung. Wenn wir uns jedoch von Zeit zu Zeit die richtige Art der Entspannung zugestehen, können wir unsere Mittel verbessern und um so leichter unser Ziel erreichen, nämlich zunächst gutes Sehvermögen und schließlich die mühelose Erfüllung von Aufgaben, die gutes Sehvermögen erfordern.

»Trachtet zuerst nach dem Reich Gottes und seiner Gerechtigkeit, und alles andere wird euch dazu getan.« Dieses Wort gilt ebenso für psychophysische Fertigkeiten wie für Geist, Ethik und Politik. Wenn wir unsere Suche zuallererst auf eine entspannte visuelle Funktion konzentrieren, so wie die Natur sie für uns vorgesehen hat, werden wir feststellen, daß das Übrige uns in Form einer Besserung des Sehvermögens und einer Steigerung der Arbeitskraft von selbst zufällt. Wenn wir uns aber weiterhin wie gierige und gedankenlose Zielstreber verhalten und direkt auf eine Verbesserung des Sehvermögens (durch mechanische Hilfsmittel zur Neutralisierung der Symptome) und auf eine Steigerung der Leistungsfähigkeit (durch unaufhörliche Anstrengung und Verkrampfung) drängen, werden wir am Ende nur schlechter sehen und weniger Arbeit bewältigen können.

Wo es wegen der äußeren Umstände schwierig oder peinlich wäre, die Augen mit den Handtellern zuzudecken, kann man ein gewisses Maß an Entspannung dadurch erreichen, daß man die Übung im Geiste ausführt – das heißt, man schließt die Augen und stellt sich vor, sie seien von den Handtellern zugedeckt, und erinnert sich, wie in einem oberen Absatz vorgeschlagen, an eine angenehme Situation oder Episode. Dies sollte von einem bewußten »Loslassen« der Augen begleitet werden – einem auf die überanstrengten und ermüdeten Gewebe bezogenen »gedanklichen Lockern«. Das nur in der Vorstellung durchgeführte Zudecken der Augen ist nicht so heilsam wie die eigentliche Übung, die sowohl aus geistigen als auch aus körperlichen Elementen besteht; aber es ist sicher die zweitbeste Möglichkeit.

7 Lidschlag und Atmung

Es ist schwer zu sagen, ob die Art von Entspannung, die man mit Hilfe der in diesem und in den folgenden Kapiteln beschriebenen Techniken erreichen kann, eher passiv oder eher dynamisch ist. Für die Praxis spielt es glücklicherweise keine Rolle, wie wir diese Frage beantworten. Das Wesentliche ist, daß alle diese Übungen dazu bestimmt sind, Überanstrengung und Anspannung zu mildern; daß sie alle zu besonders dafür reservierten Zeiten als Entspannungsübungen praktiziert werden können und sollten; und daß sie alle in die täglichen Sehvorgänge integriert werden können und sollten, um dadurch den mit einer normalen Funktion verbundenen Zustand der dynamischen Entspannung herbeizuführen und aufrechtzuerhalten. Ich werde mit einer kurzen Darstellung des Blinzelns und seiner Wichtigkeit für die Kunst des Sehens beginnen.

Normale und abnorme Blinzelgewohnheiten

Der Lidschlag hat zwei Hauptfunktionen: Die Augen mit Tränenflüssigkeit zu benetzen und zu reinigen; und sie durch zeitweisen Ausschluß des Lichts ausruhen zu lassen. Eine Trockenheit der Augen prädisponiert zu Entzündungen und ist oft mit verschwommenem Sehen verbunden. Daher besteht eine zwingende Notwendigkeit, die Augen häufig zu benetzen – das heißt, häufig zu blinzeln. Außerdem haftet Staub (wie jedermann weiß, der je ein Fenster geputzt hat) auch an der glattesten Oberfläche und macht das transparenteste Material undurchsichtig. Die Augenlider säubern die der Luft ausgesetzten Oberflächen der Augen bei jedem Lidschlag mit Tränenflüssigkeit und verhindern so die Ablagerung von Schmutzpartikeln. Gleichzeitig wird, wenn der Lidschlag häufig genug erfolgt – und dies sollte der Fall sein – das Licht während vielleicht fünf oder mehr Prozent der gesamten im Wachzustand verbrachten Zeit von den Augen abgehalten.

Im Zustand der dynamischen Entspannung blinzeln die Augen häufig und locker. Bei Überanstrengung nimmt die Häufigkeit des Blinzelns ab, und die Augenlider arbeiten verkrampft. Dies scheint durch die gleiche Fehlsteuerung der Aufmerksamkeit bedingt zu sein, die auch die schädliche Bewegungshemmung der Sehorgane verursacht.

Die in anderen Teilen des Körpers natürliche und normale Verminderung der Bewegungen wird dann also nicht nur auf die Augen, sondern auch auf die Lider übertragen. Wer starrt, schließt seine Augenlider nur in großen Abständen. Diese Tatsache läßt sich allgemein beobachten, weshalb Schriftsteller das Starren gerne mit Wendungen wie etwa »unbewegten Blikkes« umschreiben.

Die Psychologen bestehen schon seit langem darauf, die Bewegung sei eine unabdingbare Voraussetzung für die Sinneswahrnehmung und die Fähigkeit des Erkennens. Solange aber die Lider gespannt und relativ unbeweglich sind, bleiben auch die Augen gespannt und relativ unbeweglich. Wer also die Kunst des Sehens richtig erlernen will, muß sich häufiges und unangestrengtes Blinzeln zur Gewohnheit machen. Wenn die Beweglichkeit der Lider wieder hergestellt ist, dann ist es verhältnismäßig leicht, auch die Beweglichkeit der Sehorgane wieder herzustellen. Dann werden die Augen auch besser benetzt, können sich besser ausruhen und werden durch die unangestrengte Muskelbewegung vermehrt durchblutet.

Wer zu wenig oder zu verkrampft blinzelt – und dazu gehört die Mehrzahl der an Sehfehlern leidenden Menschen –, muß sich bewußt die Gewohnheit aneignen, häufig und locker zu blinzeln. Schalten Sie von Zeit zu Zeit eine Pause mit einer Blinzelübung ein: Zuerst ein halbes Dutzend leichter Lidschläge, die an Schmetterlingsflügel erinnern sollen; dann einige Sekunden entspanntes Schließen der Augenlider; dann weitere Lidschläge und nochmaliges Schließen der Augen. Und so weiter, eine halbe oder eine ganze Minute lang. Durch häufige Wiederholung dieser Übung (sagen wir, ungefähr jede Stunde) kann man sich daran gewöhnen, auch während der übrigen Zeit des Tages häufig zu blinzeln. Wer »blinzelbewußt« geworden ist, wird sich auch seiner Neigung zur Blockierung der Augen und Lider bewußt und kann ein beginnendes Starren durch häufige, lockere Lidschläge unter Kontrolle bringen. Häufiges Blinzeln ist für jene besonders wichtig, die an irgendeiner schwierigen und vielschichtigen Aufgabe arbeiten, die große Aufmerksamkeit erfordert. Wer sich mit einer solchen Arbeit beschäftigt, läuft besonders leicht Gefahr, seine Augen und Lider zu blockieren und sich auf diese Weise Überanstrengung, Ermüdung, Austrocknung der Hornhaut, Entzündungen und eine Herabsetzung des Sehvermögens einzuhandeln. Lockeres und häufiges Blinzeln bringt oft eine Erleichterung, die in keinem Verhältnis zur Einfachheit der angewandten Mittel steht.

Es ist vorteilhaft, zusätzlich zum Blinzeln die Augen gelegentlich fest zuzukneifen und so die Funktionsfähigkeit der Lider durch die übrigen Gesichtsmuskeln zu verbessern. Das sollte man immer dann tun, wenn man versucht ist, die Augen zu reiben – was mit den Fingerknöcheln barbarisch und brutal ist und was die wunderbar angepaßten Augenlider viel sicherer und ebenso wirksam vollbringen können. Auch wenn man kein Beißen oder eine andere unangenehme Empfindung in den Augen verspürt, sollte man gelegentlich die Augen zukneifen – lediglich um die lokale Blutzirkulation und die Sekretion von Tränen anzuregen.

Eine direkte Massage der Augen ist nie empfehlenswert; aber ein zartes Reiben der Schläfengegend wird oft als beruhigend und erfrischend empfunden. Eine Übermüdung der Augen kann auch durch Reiben und Kneten der oberen Nackenmuskeln gelindert werden. (In gewissen Fällen von Fehlsichtigkeit bringt nicht selten die geeignete Behandlung durch einen fähigen Chiropraktiker ausgezeichnete Ergebnisse.) Menschen mit übermäßig angestrengten Augen können diese einfache Massage an sich selbst zwei- bis dreimal täglich durchführen und anschließend jeweils für einige Zeit die Augen mit den Handtellern zudecken.

Normale und abnorme Atemgewohnheiten

Wie im ersten Teil dieses Buches aufgezeigt wurde, haben die Experimentalpsychologen eine ziemlich konstante Beziehung zwischen dem Grad der Aufmerksamkeit und der Frequenz und Tiefe der Atmung festgestellt. Einfacher gesagt, sie entdeckten, daß wir, wenn wir etwas aufmerksam betrachten, entweder den Atem für einige Sekunden anhalten, oder daß wir, wenn überhaupt, weniger tief als gewöhnlich atmen. Der Grund dafür liegt darin, daß die mit der Atmung verbundenen Geräusche und die durch die Muskelbewegung hervorgerufenen Empfindungen uns davon ablenken, unsere Aufmerksamkeit zu konzentrieren. Wir versuchen diese Ablenkung loszuwerden, indem wir entweder weniger tief atmen oder unsere Atmung über relativ lange Zeit ganz einstellen.

Diese an sich normale Beeinflussung der Atmung steigert sich bei fehlsichtigen Menschen aufgrund ihrer forcierten Anstrengung, etwas zu sehen, in völlig abnormer, extremer Weise. Viele von ihnen verhalten sich wie Perlentaucher und lassen ihren Atem unglaublich lange stocken, wenn sie etwas ihnen besonders Wichtiges sehen möchten. Der Sehvorgang hängt jedoch in auffallendem Maß von einer guten Blutzirkulation ab; die Blutzirkulation kann aber nur dann als gut bezeichnet werden, wenn sie quantitativ ausreichend ist (was nicht der Fall ist, wenn das Gehirn überanstrengt ist und die Augenmuskeln sich in einem Zustand nervöser Spannung befinden) und wenn sie gleichzeitig qualitativ gut ist (was sie bestimmt nicht ist, wenn die Atmung eingeschränkt und das Blut nicht ausreichend mit Sauerstoff versorgt ist).

Die Quantität der Blutzirkulation in den Augen und deren Umgebung kann durch passive und dynamische Entspannung gesteigert werden. Ihre Qualität kann dadurch verbessert werden, daß man lernt, auch bei stark konzentrierter Aufmerksamkeit bewußt zu atmen. Einige der Entspannungstechniken sind schon beschrieben worden, und ich werde bei späterer Gelegenheit einige weitere erwähnen. In diesem Abschnitt hier wollen wir uns nur mit der Atmung befassen.

Um abnorme Atemgewohnheiten zu korrigieren, muß man sich zunächst dessen bewußt werden, daß sie tatsächlich abnorm sind. Prägen Sie sich die Tatsache ein, daß aufmerksames Sehen bei fehlsichtigen Menschen regelmäßig zu einer ziemlich unnötigen, in der Tat sogar schädlichen Störung der Atmung führt. Wenn sich dieser Gedanke einmal in Ihrem Unterbewußtsein festgesetzt hat, wird er sich von Zeit zu Zeit bemerkbar machen, und wenn er dies gerade dann tut, wenn Sie etwas aufmerksam betrachten, haben Sie gute Aussichten, sich dabei zu ertappen, daß Sie sich wie ein Perlenfischer verhalten, der sich zehn Faden tief unter der Meeresoberfläche befindet. Aber Sie sind kein Perlenfischer, und das Element, in dem Sie leben, ist nicht das Wasser, sondern die lebenspendende Luft. Füllen Sie also Ihre Lungen mit diesem Stoff – nicht gewaltsam, wie wenn Sie Atemübungen machen würden, sondern leicht und mühelos, so daß sich Ein- und Ausatmung in einem natürlichen Rhythmus ablösen. Während Sie so atmen, schenken Sie dem Gegenstand, den Sie betrachten wollen, weiter Ihre volle Aufmerksamkeit. (In späteren Kapiteln dieses Buches werde ich beschreiben, wie man die Aufmerksamkeit richtig einsetzt.) Mit einiger Übung wird es Ihnen gelingen, auch bei normaler Atmung genauso aufmerksam, ja sogar noch aufmerksamer zu sein als zu den Zeiten, zu denen Sie sich wie ein Perlenfischer verhalten. Nach einer Weile werden Sie bemerken, daß auch bei gespannter Aufmerksamkeit das Atmen selbstverständlich und automatisch geworden ist. Jede qualitative Verbesserung der Blutzirkulation spiegelt sich umgehend in einer Steigerung der Sehkraft; und wenn sich durch die Entspannung auch die Quantität der Blutzirkulation verbessert hat, wird diese Steigerung der Sehkraft sogar noch intensiver.

Einige Ärzte, vor allem diejenigen der Wiener Schule, wenden bei einem Nachlassen des Sehvermögens, sei es wegen hohen Alters oder aus anderen Gründen, und bei gewissen Augenleiden mit gutem Erfolg mechanische Methoden zur Steigerung der lokalen Blutzirkulation an. Sie erreichen eine vorübergehende Mehrdurchblutung der Augengegend durch Schröpfen der Schläfen, durch Ansetzen von Blutegeln oder durch Anlegen von einem speziellen elastischen Halsband, das so angezogen wird, daß das Blut frei durch die Arterien in den Kopf fließen kann, während der Blutrückfluß durch eine leichte Verengung der Venen gedrosselt wird. Diese Methoden sollten nicht ohne fachkundige medizinische Betreuung ausprobiert werden; ihre Anwendung ist in den meisten Fällen auch nicht notwendig. Denn Entspannung und richtiges Atmen verbessern ebenfalls die Zirkulation, vielleicht langsamer, aber um so sicherer und natürlicher, und dazu noch in einer Art und Weise, die völlig unter der Kontrolle desjenigen steht, der sie anwendet. Im übrigen wird ja das Sehvermögen und der Zustand der Sehorgane durch jede Anregung der Blutzirkulation gebessert, was auch immer die dazu verwendeten Mittel seien. Die mechanischen Methoden sind den hier beschriebenen, selbständig durchführbaren psychophysischen Methoden keinesfalls überlegen. Gerade die Tatsache, daß sie mechanisch sind, macht sie im Grunde weniger befriedigend. Wenn ich sie überhaupt erwähne, dann nur um die Behauptung zu stützen, daß das Sehen und die organische Gesundheit der Augen von einer ausreichenden Blutzirkulation abhängig sind.

Wie groß diese Abhängigkeit ist, kann man sehr leicht demonstrieren. Atmen Sie einmal beim Lesen tief ein und dann aus. Während des Ausatmens werden Sie bemerken, daß die Druckschrift vor Ihren Augen wahrnehmbar klarer, schwärzer und deutlicher wird. Diese zeitweilige Sehverbesserung beruht auf einer leichten Mehrdurchblutung des Kopfes, und diese wiederum beruht auf einer leichten Verengung der Halsvenen während des Ausatmens. In den Augen und in ihrer Umgebung ist mehr Blut vorhanden als gewöhnlich – was dazu führt, daß der Sinnesapparat wirkungsvoller arbeitet und das Gehirn besseres Rohmaterial erhält, mit dem es seine Aufgaben, nämlich Erkennen und Sehen, besser erfüllen kann.

8 Das Auge, Organ des Lichts

Bei Insekten und Fischen, bei Vögeln, Säugetieren und Menschen sind die Augen eigens so entwickelt, daß sie auf Lichtwellen ansprechen. Licht ist ihr Element; und wenn sie ganz oder teilweise des Lichts beraubt werden, verlieren sie ihre Kraft und entwickeln schwere Krankheiten, wie zum Beispiel das Augenzittern, unter dem viele Bergarbeiter leiden. Das heißt natürlich nicht, daß die Augen unablässig dem Licht ausgesetzt sein müssen. Schlaf ist notwendig für das Gehirn, und der Sinnesapparat benötigt Dunkelheit während mindestens sieben bis acht Stunden am Tag. Am leichtesten und wirkungsvollsten können die Augen dann arbeiten, wenn man ihnen erlaubt, zwischen vollständiger Dunkelheit und hellem Licht abzuwechseln.

Die weitverbreitete Furcht vor dem Licht

In den letzten Jahren hat sich die äußerst schädliche und vollkommen unbegründete Vorstellung verbreitet, Licht sei schlecht für die Augen. Ein Organ, das sich seit vielen Jahrmillionen sehr erfolgreich an Sonnenlicht aller Stärkegrade angepaßt hat, soll nun plötzlich nicht mehr fähig sein, Tageslicht ohne den mildernden Effekt einer Sonnenbrille zu ertragen, oder künstliches Licht nur dann, wenn es durch getöntes Glas fällt oder indirekt von der Zimmerdecke zurückgestrahlt wird. Diese sonderbare Idee, das Organ der Lichtwahrnehmung sei untauglich, Licht auszuhalten, wurde erst in den letzten zwanzig Jahren populär. Vor dem Ersten Weltkrieg sah man, wie ich mich erinnere, äußerst selten jemanden mit einer Sonnenbrille. Als kleiner Junge schaute ich Männer oder Frauen, die eine Sonnenbrille trugen, mit jener Mischung aus ehrfurchtsvoller Sympathie und ziemlich makabrer Neugierde an, die Kinder für jene übrig haben, die irgendein ungewöhnliches oder entstellendes Körpermerkmal besitzen. Heute ist das alles anders. Das Tragen dunkler Brillen ist nicht nur allgemein üblich geworden, sondern es wird sogar als schick empfunden. Wie sehr, wird durch die Tatsache belegt, daß sämtliche im Sommer auf den Titelseiten der Modezeitschriften dargestellten Badenixen Sonnenbrillen tragen. Dunkle Brillen sind nicht mehr das Stigma des Kranken, sondern gleichzusetzen mit Jugend, Eleganz und erotischer Anziehungskraft.

Das phantastische Verlangen nach Abschirmung der Augen verdankt seine Entstehung gewissen medizinischen Kreisen, in denen sich vor ungefähr einer Generation eine panische Angst vor den ultravioletten Strahlen der Sonne gebildet hat; die Angst wurde von den Herstellern und Verkäufern getönter Gläser und Brillenfassungen aus Zelluloid gefördert und verbreitet. Die Propaganda war erfolgreich. In der westlichen Welt tragen nun Millionen Menschen Sonnenbrillen, nicht nur am Strand oder beim Autofahren, sondern auch in der Dämmerung oder in den schwach beleuchteten Gängen öffentlicher Gebäude. Es erübrigt sich, zu sagen, daß die Augen dadurch immer empfindlicher werden und immer mehr vor dem Licht »geschützt« werden müssen. So leicht eine Abhängigkeit von Tabak und Alkohol entstehen kann, so leicht kann auch eine Abhängigkeit von der Sonnenbrille entstehen.

Diese Abhängigkeit hat ihren Ursprung in der Furcht vor dem Licht – einer Furcht, die denjenigen, die unter ihr leiden, durch die Beschwerden, die sie bei allzu großer Helligkeit in ihren Augen verspüren, gerechtfertigt erscheint. Es erhebt sich die Frage: Warum diese Furcht und diese Beschwerden? Tiere kommen sehr gut ohne Sonnenbrille aus; Naturvölker ebenfalls. Und selbst in zivilisierten Gesellschaften, selbst heutzutage, wo überall die Vorzüge des getönten Glases in den höchsten Tönen gepriesen werden, ertragen Millionen von Menschen das Sonnenlicht ohne Schutzbrille und sehen trotzdem sehr gut, ohne irgendwelche nachteiligen Folgen zu verspüren. Man hat allen Grund, anzunehmen, daß die Augen physiologisch so strukturiert sind, daß sie sehr hohe Lichtintensitäten aushalten können. Warum also bekommen so viele Zeitgenossen Beschwerden, wenn sie Licht auch von nur relativ geringer Intensität ausgesetzt sind?

Gründe für die Furcht vor dem Licht

Es scheint zwei Hauptgründe für diesen Stand der Dinge zu geben. Der erste hängt mit dem bereits beschriebenen albernen Verlangen nach Schutz vor dem Licht zusammen. Die Bangemacher unter den Medizinern und die Werbetiger, die die Ansichten dieser gelehrten Herren zu ihrem eigenen Vorteil ausnützen, haben weite Teile der Öffentlichkeit davon überzeugt, daß Licht für die Augen schädlich sei. Das ist nicht wahr; aber schon der Glaube, es sei wahr, kann denen, die ihn hegen, großen Schaden zufügen. Wenn der Glaube Berge zu versetzen vermag, so vermag er auch das Sehvermögen zu ruinieren. Jedermann kann dies selbst feststellen, wenn er das Verhalten lichtscheuer Menschen beobachtet, die plötzlich dem Sonnenlicht ausgesetzt sind. Sie *wissen*, daß ihnen das Licht schadet. Und deshalb: Was für Grimassen! Was für ein Stirnrunzeln! Was für ein Zusammenkneifen der Lider! Was für ein Augenverdrehen! Mit einem Wort, was für deutliche Symptome der Überanstrengung und Verkrampfung! Die einem falschen Glauben entsprungene Schreckensvorstellung von Licht drückt sich körperlich durch Überanstrengung und einen völlig abnormen Zustand der Sehorgane aus. In diesem Zustand können die Augen gar nicht mehr so auf die äußere Umgebung reagieren, wie sie sollten. Anstatt das Sonnenlicht ohne weiteres als etwas Segensreiches aufzunehmen, leiden sie unter Beschwerden und entwickeln in ihren Geweben sogar Entzündungen. Dadurch entstehen noch stärkere Beschwerden, und die Furcht vor dem Licht nimmt weiter zu; das alles bekräftigt den falschen Glauben, Licht sei schädlich.

Es gibt noch einen anderen Grund dafür, daß so viele Menschen heute bei hellem Licht Beschwerden bekommen. Sie mögen zwar nicht a priori Furcht vor dem Licht haben; da sie aber ihre Sehorgane durch falschen Gebrauch überanstrengt und geschädigt haben, kann es tatsächlich so weit kommen, daß die Augen sich nicht mehr richtig den äußeren Gegebenheiten anzupassen vermögen. Für angespannte, überanstrengte Sehorgane ist starkes Licht tatsächlich schmerzhaft. Und weil es als schmerzhaft empfunden wird, beginnt man sich davor zu fürchten; und diese Furcht wird ihrerseits zu einer Ursache weiterer Überanstrengung und weiterer Beschwerden.

Die Furcht loswerden

Man kann die Furcht vor dem Licht, so gut wie alle anderen Arten von Furcht, aus dem Geist verbannen und mittels geeigneter Übungen die Beschwerden, die auftreten, wenn die Augen dem Licht ausgesetzt sind, verhüten. Sobald man dies erreicht hat, wird die Abschirmung der Augen durch eine Sonnenbrille überflüssig. Aber das ist noch nicht alles. Während die geschädigten Sehorgane lernen, wieder normal und natürlich auf Licht zu reagieren, können sie viel dazu beitragen, die Überanstrengung, die ihre Sehkraft beeinträchtigt hat, zu mildern. Der Erwerb einer normalen Reaktion auf das Licht ist einer der grundlegenden Vorgänge bei der Kunst des Sehens. Durch geeignete Übungen mit Sonnenlicht kann eine wirksame passive Entspannung herbeigeführt werden; und die so erworbene Fähigkeit, mit den stärksten Beleuchtungsverhältnissen leicht und mühelos fertig zu werden, kann in das tägliche Leben übertragen und ein Element jener dynamischen Entspannung der Sehorgane werden, ohne die ein perfektes Sehen unmöglich ist.

In all den Fällen, in denen das Licht Beschwerden verursacht, sollte zu allererst Vertrauen entwickelt werden. Wir müssen uns ständig vergegenwärtigen, daß Licht nicht schädlich ist, jedenfalls nicht jene Lichtintensität, der wir üblicherweise ausgesetzt sind; und daß wir, wenn es uns tatsächlich Beschwerden verursacht, selbst dafür verantwortlich sind, weil wir es fürchten und weil wir unsere Augen lange Zeit auf falsche Art und Weise eingesetzt haben.

Das Vertrauen in die Unschädlichkeit des Lichts kann in der Praxis durch schrittweises Vorgehen gestärkt werden. Wenn die geöffneten Augen vor dem Sonnenlicht zurückschrecken, beginnen Sie damit, sie daran zu gewöhnen, wenn sie geschlossen sind. Setzen Sie sich bequem hin, lehnen Sie sich zurück, schließen Sie die Augen und wenden Sie sich mit dem Gedanken »loslassen und locker bleiben« der Sonne zu. Um ein inneres Starren zu vermeiden und der Gefahr zu entgehen, daß eine bestimmte Stelle der Netzhaut allzu lange dem Licht ausgesetzt wird, neigen Sie den Kopf sachte, aber nicht zu langsam von einer Seite zur anderen. Ein kontinuierliches Hin- und Herbewegen von einigen Zentimetern genügt vollständig.

Einigen Menschen wird diese Übung selbst bei geschlossenen Lidern Beschwerden verursachen. Ist dies der Fall, so können die Augen auch ebensogut nur dem Himmel und nicht direkt der Sonne zugewendet werden. Wenn man das Licht des Himmels erträglich findet, kann man sich jeweils kurze Zeit direkt der Sonne zuwenden. Sobald auch nur die geringsten Beschwerden auftreten, wende man sich von der Sonne ab, bedecke die Augen für kurze Zeit mit den Handtellern und beginne dann von vorne. Man kann die geschlossenen Augen mehrere Minuten lang der Sonne aussetzen (wenn nötig, mit kurzen Unterbrechungen zum Zudecken der Augen). Dieses Vorgehen sollte man täglich mehrmals wiederholen.

Nach sehr kurzer Zeit werden die meisten Menschen entdekken, daß sie die Sonne auch auf die geöffneten Augen scheinen lassen können, ohne Beschwerden zu verspüren. Besonders zufriedenstellend ist folgende Prozedur: Sie bedecken ein Auge mit dem Handteller und lassen das andere Auge drei- bis viermal über die Sonne wandern, während Sie darauf achten, den Kopf wie vorher hin- und herzubewegen und gleichzeitig schnell, locker und ohne Anstrengung zu blinzeln. Dann bedecken Sie das Auge, das der Sonne ausgesetzt war, und wiederholen das Ganze mit dem anderen Auge. Wechseln Sie so etwa eine Minute lang ab; anschließend bedecken Sie beide Augen mit den Handtellern, bis die Nachbilder verschwunden sind. Wenn Sie die Augen jetzt aufdecken, werden Sie fast immer eine deutliche Verbesserung des Sehvermögens feststellen; Sie fühlen auch, daß die Sehorgane entspannt und von einem wohligen Gefühl der Wärme durchströmt sind.

Wenn man die offenen Augen, wie oben beschrieben, wechselweise von der Sonne bestrahlen läßt, blendet einen das Licht bedeutend weniger, als wenn beide Augen gleichzeitig der Sonne ausgesetzt werden. Bei letzterem scheint die Lichtintensität größer zu sein, was zu einem unwillkürlichen Zurückschrecken führen kann, das mit einem Willensakt überwunden wird, der wiederum zu einer Anspannung führt. Dadurch kann die vollständige Entspannung, die sich normalerweise nach der Sonnenbestrahlung einstellt, verzögert werden. Und dennoch kann, wer möchte, bei maßvollem Vorgehen beide Augen gleichzeitig sonnen, ohne Schaden zu erleiden. Dazu ist zu bemerken, daß das anfangs mit reichlichem Tränenfluß verbunden ist und daß die Nachbilder heller und von längerer Dauer sind als jene, die auftreten, wenn die Augen einzeln gesonnt werden. Die Tränen sind erfrischend, und die Nachbilder verschwinden durch Zudecken der Augen schnell wieder. Alles in allem ist jedoch die Methode, nur jeweils ein Auge zu sonnen, vorzuziehen.

Die Unschädlichkeit der Sonnenbestrahlung

Die Gegner der Bates-Methode erzählen gerne haarsträubende Geschichten über die Wirkung der Sonnenbestrahlung auf die Augen. Wer sie praktiziert, wird feierlich gewarnt, er werde erblinden, und zwar sofort oder (wenn dies zufällig nicht der Fall sein sollte) zu einem späteren Zeitpunkt. Aufgrund eigener Erfahrung wie auch aufgrund recht ausgedehnter Nachforschungen bei Leuten, die diese Technik lehren und selbst praktizieren, bin ich davon überzeugt, daß diese Geschichten gänzlich unwahr sind. Wenn die Augen auf die in den vorangegangenen Abschnitten beschriebene Art und Weise gesonnt werden, hat dies niemals schädliche Folgen. Im Gegenteil, die Organe werden angenehm entspannt, die Blutzirkulation wird angeregt und das Sehvermögen verbessert. Überdies klingen viele Augen- und Lidentzündungen rasch ab, wenn man die Sonne auf die Augen einwirken läßt. Diese Tatsachen sind nicht weiter überraschend. Sonnenlicht besitzt eine starke keimtötende Wirkung und ist ein wertvolles therapeutisches Hilfsmittel, wenn man es mit Maß auf den menschlichen Körper einwirken läßt. Es ist nicht einzusehen, warum es auf die Augen nicht ebenso günstig wirken sollte wie auf andere Organe.

Die Sonne schadet den Augen nur, wenn man direkt in sie hineinstarrt. Viele Leute leiden zum Beispiel nach der Beobachtung einer Sonnenfinsternis vorübergehend an Sehstörungen, die sich manchmal sogar zu teilweiser oder vollständiger Blindheit steigern. In den meisten Fällen verschwindet die Störung nach kurzer Zeit, ohne daß der Betroffene bleibenden Schaden davonträgt. Unter den Tausenden, die von der von Dr. Bates und seinen Schülern entwickelten Technik Gebrauch gemacht haben, sind nur wenige, denen etwas Vergleichbares passiert ist. Sie haben den Rat ihrer Lehrer, den Kopf ununterbrochen von einer Seite zur anderen zu drehen, mißachtet und direkt in die Sonne gestarrt. Wenn sie unter diesen Umständen Schaden erleiden, haben sie einzig sich selbst dafür zu tadeln.

In Wahrheit verhält es sich so, daß das Sonnenlicht, wie alles übrige in der Welt, in vernünftigem Maß gut für uns ist, im Übermaß oder auf falsche Art und Weise verwendet jedoch schlecht. Wenn einer so dumm ist, zehn Pfund Erdbeeren auf einmal zu essen oder einen Liter Rizinusöl in sich hineinzugießen oder hundert Aspirintabletten zu schlucken, so hat er für seine Dummheit zu büßen. Trotzdem kann man Erdbeeren, Rizinusöl und Aspirin überall kaufen. Die Dummen müssen eben ihre Chance bekommen. Mit dem Sonnenlicht verhält es sich gleich. Unzählige Leute liegen jeden Sommer so lange in der Sonne, bis ihre Haut verbrannt ist, sie hohes Fieber bekommen und sogar unter Milzvergrößerung leiden. Und dennoch ist Sonnenbaden erlaubt und empfehlenswert; es ist angenehm und wohltuend, wenn man es mit Vernunft betreibt. Das gleiche gilt für die Augen. Trotz aller guten Ratschläge werden aber einige Dummköpfe in die Sonne starren und so für einige Zeit ihr Sehvermögen schädigen. Das ist aber kein Grund, denjenigen, die ihre Augen in vernünftigem Maß dem Sonnenlicht aussetzen, von einer Praxis abzuraten, die ihnen mit Sicherheit guttut.

Wer gelernt hat, bei geschlossenen und offenen Lidern das Sonnenlicht auf seine Augen einwirken zu lassen, der wird gegenüber Blendung und heller Beleuchtung zusehends weniger empfindlich. Die Furcht vor dem Licht und die durch das Licht verursachten Beschwerden verschwinden und mit ihnen die Sonnenbrillen, das Stirnrunzeln und Grimassenschneiden und die stets mit Furcht und Beschwerden verbundene Verkrampfung.

Um sich eine normale Reaktion auf Licht zu bewahren, können Sie neben der zu eigens dafür bestimmten Zeiten durchgeführten Sonnenbestrahlung auch eine abgeänderte Form derselben in den Tagesablauf einbauen. Wenn ihnen das Licht beim Verlassen des Hauses unangenehm hell vorkommt, schließen Sie die Augen für einen Moment, sagen sich »loslassen und locker bleiben« und öffnen dann die Augen so sachte und entspannt wie möglich. Danach wenden Sie das Gesicht der Sonne zu und lassen ihr Licht einige Sekunden lang auf die geschlossenen und anschließend geöffneten Augen fallen (immer bei einem leichten Hin- und Herwiegen des Kopfes). Wenn Sie nun wieder Ihre Umgebung betrachten, werden Sie die Helligkeit sehr gut ertragen, und das Gefühl der Überanstrengung oder Verkrampfung wird verschwunden sein. Diese Übung sollten Sie häufig wiederholen, wenn Sie an einem strahlenden Tag im Freien sind. Sie trägt dazu bei, die Augen im Zustand der dynamischen Entspannung zu halten und das Sehvermögen zu verbessern.

Nachts können Sie für die Übungen anstelle der Sonne eine helle künstliche Lichtquelle benützen. Für diesen Zweck, wie auch zum Lesen, eignet sich meiner Erfahrung nach besonders ein 150-Watt-Punktstrahler. Diese Glühbirnen, die wie Scheinwerfer gebaut sind, mit einer versilberten konkaven Rückseite und einer runden durchsichtigen Vorderseite, durch die der gebündelte Lichtstrahl fällt, erzeugen in einem Meter Abstand zehntausend Lux. Sie können nun dieses Licht wie das der Sonne auf die geschlossenen und die geöffneten Augen fallen lassen. Die Folge ist, wie bei der Sonnenbestrahlung, eine Verbesserung der Entspannung, der Blutzirkulation und des Sehvermögens. Wer die Lichtintensität verstärken will, kann den Strahl der Lampe über einen konkaven Rasierspiegel auf seine Augen lenken. Im Brennpunkt des Spiegels ist die Wärmeentwicklung und Lichtintensität nicht viel geringer als diejenige der Sonne an einem schönen Sommertag.

9 Zentrale Fixation

In diesem und den beiden folgenden Kapiteln werde ich über Methoden berichten, die zur Förderung der Beweglichkeit fehlsichtiger Sehorgane dienen. Vor mehr als einem halben Jahrhundert haben, wie gesagt, die Experimentalpsychologen festgestellt, daß die Wahrnehmung der Erscheinungswelt von Bewegung abhängig ist. Für das Sehen spielt diese Tatsache offensichtlich eine sehr wichtige Rolle. Dennoch haben die Vertreter der offiziellen Augenheilkunde aus unerfindlichen Gründen dieser Tatsache nie die geringste Aufmerksamkeit geschenkt. Sie alle haben sich bisher noch immer damit begnügt, »Krücken« zur mechanischen Aufhebung der Symptome zu verschreiben und es dabei bewenden zu lassen; daran hat sich auch heute noch nichts geändert. Der erste, der sich intensiv mit diesem wichtigen Problem auseinandersetzte, war Dr. W. H. Bates – zum Dank für seine Mühe zeigten ihm seine Kollegen die kalte Schulter und nannten ihn einen Sonderling, ja sogar einen Quacksalber.

Bevor ich diese Verfahren zur Steigerung der Beweglichkeit beschreibe, will ich kurz auf die psychologischen und physiologischen Gegebenheiten eingehen, die solche Verfahren überhaupt notwendig machen. Wie ich im ersten Teil dieses Buches dargelegt habe, ist die Aufmerksamkeit stets in Bewegung und wandert bei der Betrachtung eines Gegenstandes ununterbrochen von einem Punkt zum anderen, bei der Verfolgung eines

Gedankens von einem Aspekt zum anderen. Beim Sehvorgang wird dieses ununterbrochene Wandern der Aufmerksamkeit normalerweise von einer ständigen Bewegung des Sinnesapparats begleitet. Der Grund dafür muß im Aufbau des Auges gesucht werden; nur im zentralen Teil der Netzhaut, der *macula lutea* (gelber Fleck), empfängt das Auge vollkommen scharfe Bilder, und zwar an der Stelle mit der größten Empfindlichkeit, der *fovea centralis* (Sehgrübchen).

Bei diesem Gesetz – daß wir nur jenen kleinen Ausschnitt am besten sehen, auf den wir unser Sehzentrum richten – gibt es eine wichtige Ausnahme. Nachts, wenn nur ein Minimum an Licht zur Verfügung steht, empfangen wir die besten und schärfsten optischen Eindrücke auf der peripheren Netzhaut. Diese Tatsache wurde schon vor Jahrhunderten von den Astronomen entdeckt. Sie bemerkten, daß sie beim direkten Betrachten eines Sternbilds nur die helleren Sterne sehen konnten. Wenn sie dagegen etwas an dem Sternbild vorbeiblickten, konnten sie auch kleinere Sterne wahrnehmen. Mit den Worten des hervorragenden französischen Physikers François Arago: »Wenn man ein nur sehr schwach leuchtendes Objekt sehen will, darf man es nicht direkt anblicken.« Deshalb sollten Sie, wenn Sie im Dunkeln Ihren Weg suchen, nicht geradeaus blikken; denn dann sehen Sie die direkt vor Ihnen liegenden dunkleren Gegenstände nicht; wenn Sie aber den Kopf wenden, zuerst zur einen, dann zur anderen Seite, werden Sie das, was direkt vor Ihnen liegt, »aus dem Augenwinkel heraus« sehen.

Genau das Gegenteil gilt nun für das Sehen bei Tag oder bei heller künstlicher Beleuchtung. Unter diesen Umständen (und das Folgende bezieht sich immer auf das Sehen bei guter Beleuchtung) empfindet und sieht man denjenigen Teil des Gesichtsfeldes am besten, dessen Bild auf die *macula* und die *fovea* fällt. Die in der Peripherie der Netzhaut registrierten Bilder sind in ihren Umrissen weniger scharf, in ihren Farben weniger genau als jene, die im winzigen zentralen Teil empfangen werden.

Man kann im durchschnittlichen Leseabstand von den Augen – sagen wir, dreißig Zentimeter – ohne weiteres eine ganze Seite eines Buches auf einmal sehen. Die am deutlichsten sichtbare Stelle wird aber eine Kreisfläche von etwa einem Zentimeter Durchmesser sein, und der absolut schärfste Punkt wird ein Buchstabe im Zentrum dieses Kreises sein. Dieser eine Buchstabe entspricht jenem Teil des Gesichtsfeldes, dessen Bild in diesem Moment auf die *fovea centralis* (Sehgrübchen) fällt; der Kreis mit einem Zentimeter Durchmesser entspricht dem Teil, dessen Bild auf die *macula* (gelber Fleck) fällt, welche die *fovea centralis* umgibt. Der Rest der Buchseite wird von der Netzhautperipherie registriert und infolgedessen weniger deutlich wahrgenommen.

Das Wandern der Aufmerksamkeit bedingt nun wegen dieser zentralen Stelle schärfsten Sehens ein entsprechendes Wandern der Augen. Wenn wir unsere Aufmerksamkeit bei der Betrachtung eines Gegenstands auf einen bestimmten Teil des Gegenstands richten, bewegen sich die Augen automatisch und unbewußt mit, so daß der interessierende Teil des Gegenstands auch am deutlichsten gesehen wird – oder, um es in physiologischen Begriffen auszudrücken, so daß die Lichtstrahlen, die von jenem besonders beachteten Teil herkommen, direkt auf die *macula* und die *fovea centralis* fallen. Wenn dies zutrifft, dann sagt man, wir »fixieren zentral« oder »sehen mit zentraler Fixation«. Um alle Teile eines Gegenstands mit zentraler Fixation oder, anders gesagt, mit größter Deutlichkeit zu sehen, muß das Auge eine ungeheure Zahl schneller kleinster Verschiebebewegungen von Punkt zu Punkt ausführen. Wenn es diese Verschiebebewegungen nicht ausführt, kann es nicht alle Teile des Gegenstandes mit zentraler Fixation und deshalb auch nicht mit maximaler Deutlichkeit sehen.

Bewegung ist also die normale und natürliche Voraussetzung für das Auswählen und Erkennen beim Sehvorgang; und wegen der Notwendigkeit der zentralen Fixation ist sie auch die natürliche und normale Voraussetzung für die durch das Auge vermittelte Sinneswahrnehmung. Die meisten Menschen lernen unbewußt in ihrer Kindheit, ihre Augen und ihren Geist beweglich zu halten und mit zentraler Fixation zu sehen. Leider können aber diese guten Funktionsgewohnheiten aus den verschiedensten Gründen verlorengehen. Das bewußte Ich kann auf irgendeine Weise den natürlichen und normalen Ablauf stören. Das Ergebnis ist, daß die Aufmerksamkeit auf etwas fixiert bleibt, statt dauernd in leichter Bewegung von Punkt zu Punkt zu wandern, und daß die Augen sich nicht mehr mitbewegen, sondern zu starren beginnen. Diese Funktionsstörung führt zu geistiger und körperlicher Verkrampfung, die ihrerseits die Funktionsstörung verstärkt. Durch Verkrampfung und Fehlfunktion wird der Sinnesapparat verformt, und es entstehen Brechungsfehler und andere unerwünschte Veränderungen der Sehorgane. Das Sehvermögen nimmt ab, und je mehr sich die schlechten Sehgewohnheiten festsetzen, desto mehr verlieren die Augen (besonders wenn sie mit einer Brille versehen sind) ihre Fähigkeit der Selbstregulation und ihre Widerstandskraft gegen Krankheiten.

Es ist nicht im mindesten überraschend, daß das Starren stets mit einer Verkrampfung und einer Beeinträchtigung des Sehvermögens verbunden ist. Wer starrt, versucht das Unmögliche zu vollbringen: Er versucht, alle Teile einer großen Fläche gleich scharf zu sehen. Aber das Auge ist so gebaut, daß es *nicht* alle Teile dieser Fläche so klar und deutlich registrieren kann wie jenen kleinen Teil, den es mit zentraler Fixation sieht – oder anders ausgedrückt, jenen Teil, dessen Bild auf die *macula* und die *fovea centralis* fällt. Und das Gehirn ist, wenn es eine optimale Perzeption erreichen will, auf dieses Wandern der Aufmerksamkeit von einem Punkt des betrachteten Gegenstands zum anderen angewiesen. Wenn jemand starrt, beachtet er diese unabdingbaren Voraussetzungen des Sehens nicht. In seinem starken Verlangen, sein Ziel zu erreichen, nämlich in möglichst kurzer Zeit möglichst viel zu sehen, läßt er genau das Mittel außer acht, mit dem allein er dieses Ziel erreichen kann. Statt dessen versucht er das Unmögliche. Wie nicht anders zu erwarten, ist das Ergebnis denkbar schlecht – nämlich Verkrampfung, Brechungsfehler und mangelhaftes Sehvermögen.

Manchmal wird die zentrale Fixation gar nicht erst erworben, was meist durch Augenkrankheiten im Kleinkindalter bedingt ist. In der großen Mehrzahl der Fälle wird sie jedoch erworben, zusammen mit anderen normalen Gebrauchsgewohnheiten, und geht erst später verloren – gewöhnlich durch den Einfluß des bewußten Ichs mit seinen Ängsten und Sorgen, seinen Begierden, seinem Kummer und seinen Ambitionen, die die Funktion der Organe, des Nervensystems und des Gehirns beeinträchtigen. Wenn die zentrale Fixation für einige Zeit gefehlt hat, scheinen die *macula* und die *fovea* durch den Nichtgebrauch einen Teil ihrer natürlichen Empfindlichkeit einzubüßen. Gleichzeitig führt der Versuch, Gegenstände mit allen Teilen der Netzhaut gleich scharf zu sehen, zu einer Überreizung eines oder mehrerer exzentrischer Netzhautareale, die versuchen, durch eine Erhöhung ihrer Empfindlichkeit auf diese Stimulierung zu antworten. Manchmal geht das so weit, daß sich an irgendeiner peripheren Netzhautstelle eine Art falscher *macula* bildet. Das Auge besitzt dann seine größte Sehschärfe nicht in der zentralen Sehachse, sondern es sieht dann am besten, wenn ihm ein Objekt unter einem gewissen Winkel erscheint. Die Qualität dieses seitlichen Sehens kann niemals so gut sein wie diejenige des normalen Sehens mit der zentral gelegenen *macula*. Aber wegen der durch falschen Gebrauch verminderten Empfindlichkeit der *macula* und der Auswirkungen eingefahrener schlechter Gewohnheiten ist dieses seitliche Sehen das Beste, was die Augen in diesem Fall leisten können.

In der Mehrzahl der Fälle führen jedoch der Verlust der Beweglichkeit und der zentralen Fixation, das Auftreten des Starrens und der Versuch, alle Teile einer großen Fläche gleich gut zu sehen, nicht zu einem so extremen Grad exzentrischer Fixation. Wer starrt, sieht immer noch geradeaus. Weil er aber alles gleich gut zu sehen versucht, reduziert er die Empfindlichkeit seiner *macula* und seiner *fovea* und baut eine unerwünschte und abnorme Beziehung zwischen dem Gehirn und den peripheren Netzhautarealen auf, die nun ebensoviel oder sogar noch mehr zur Sinneswahrnehmung beitragen als die zentralen Areale. Die exzentrische Fixation wird also über die ganze Netzhaut verteilt und ist nicht, wie in den extremen Fällen, auf eine falsche *macula* an einer bestimmten Stelle beschränkt.

Ohne zentrale Fixation und ständige Augenbewegung gibt es kein normales Sehen. Deshalb sind die Verfahren so wichtig, die dem Normalsichtigen zeigen, wie er die richtigen Gewohnheiten festigen kann, auf denen seine Sehkraft beruht (obwohl er dies meist nicht weiß), und die dem Fehlsichtigen beibringen, wie er die für sein schlechtes Sehvermögen verantwortlichen falschen Gewohnheiten überwinden kann. Für diejenigen, die nie gelernt haben, zentral zu fixieren, und für diejenigen, die sehr stark exzentrisch fixieren, dürfte die Hilfe eines begabten und erfahrenen Lehrers unerläßlich sein. Alle anderen können sich sehr gut selbst helfen, wenn ihnen der richtige Weg gezeigt wird. Für sie lasse ich eine Beschreibung einfacher, aber wirkungsvoller Übungen folgen.

10 Beweglichkeitsübungen für Augen und Geist

Die zentrale Fixation kann einem Schüler unmittelbar durch Übungen beigebracht werden, die ihn erfahren lassen, daß er nicht alle Teile einer großen Fläche gleich scharf sehen kann. Oder man bringt sie ihm mittelbar bei durch Beweglichkeitsübungen, die den Geist zwingen, seine Aufmerksamkeit von einem Punkt des betrachteten Gegenstands zum anderen wandern zu lassen, und die das Auge zwingen, mit der Stelle des schärfsten Sehens diese Punkte zu erfassen.

Bei der Verwendung direkter Methoden besteht die Gefahr, daß die Verkrampfungen, unter denen der Schüler bereits leidet, noch verstärkt werden. Es ist demnach günstiger, sich dem Ziel indirekt zu nähern. Genauso wie man beim Zudecken der Augen mit den Handtellern dann am leichtesten eine völlig schwarze Fläche sehen kann, wenn man nicht versucht, sie zu sehen, sondern wenn man sich an angenehme Situationen und Ereignisse erinnert, so kann man die zentrale Fixation am besten dadurch erreichen, daß man nicht eine kleine Stelle besser als alle anderen sehen will, sondern indem man die Beweglichkeit der Augen erhöht, die notwendig ist, um nach und nach kleine Teile eines Gegenstands vollkommen scharf zu sehen. Deshalb werde ich mit der Beschreibung einiger Verfahren zur Steigerung der Beweglichkeit von Augen und Geist beginnen; erst dann werde ich über Methoden berichten, die direkt darauf abzielen, dem Schüler die zentrale Fixation bewußt zu machen. Wer fehlsichtig ist, sollte bei seinen Übungen die gleiche Reihenfolge einhalten. Lernen Sie zuerst, Ihre Augen und Ihre Aufmerksamkeit ständig in leichter Bewegung zu halten; wenn die Beweglichkeit wieder hergestellt ist, lernen Sie, die Auswirkungen des zentralen Fixierens bewußt zu erkennen und sie dadurch zu intensivieren.

Schwungübungen

Wenn wir uns bewegen, scheinen sich die Gegenstände um uns herum in der entgegengesetzten Richtung zu bewegen. Die uns am nächsten befindlichen scheinen das am schnellsten zu tun; die Geschwindigkeit ihrer scheinbaren Bewegung nimmt mit zunehmender Entfernung von den Augen ab, so daß die am weitesten entfernten Gegenstände fast stillzustehen scheinen, selbst wenn wir sie von einem Schnellzug oder einem fahrenden Auto aus sehen.

Verschiedene von Dr. Bates als »Schwünge« bezeichnete Übungstechniken sind zunächst dafür gedacht, dem Übenden diese scheinbare Bewegung der ihn umgebenden Gegenstände bewußt zu machen und dadurch die freie Beweglichkeit der Sehorgane und der ihnen übergeordneten geistigen Funktionen zu fördern. Wo eine solche Beweglichkeit vorhanden ist, kommt es zu einer Verminderung okularer und psychischer Spannungen, das Starren wird durch eine rasch wandernde zentrale Fixation ersetzt und das Sehvermögen deutlich gebessert.

Man kann eine Vielzahl solcher Schwünge erfinden und üben; aber alle sind nur Variationen des einen oder anderen der wenigen Grundtypen, auf deren Beschreibung ich mich hier beschränken will.

Den kurzen Schwung sollte man an einem Fenster, in einem Gang oder an irgendeiner anderen Stelle ausführen, wo man die Möglichkeit hat, an einem nahen Gegenstand vorbei auf einen weiter entfernten zu blicken. Der senkrechte Balken eines Fensterkreuzes kann zum Beispiel der nähere Gegenstand sein, ein Baum oder ein Haus auf der anderen Straßenseite der entferntere. In einem Zimmer kann der nähere Gegenstand eine hohe Stehlampe sein oder ein Stück Schnur, das von der Deckenleuchte herunterhängt, während das entferntere Objekt durch ein Bild an der Wand oder ein Ornament am Kaminsims gegeben ist. Man stellt sich hin, die Füße etwa dreißig Zentimeter auseinander, und wiegt den Körper regelmäßig, sanft und nicht zu schnell von einer Seite zur anderen, indem man das Gewicht abwechselnd von einem Fuß auf den anderen verlagert. Die Bewegung sollte nicht ausholend sein – knapp dreißig Zentimeter genügen vollauf –, und der Kopf sollte nicht mit der Schulter bewegt werden, sondern mit dem Rumpf geradeaus gerichtet sein. Wenn man nach rechts schwingt, scheint sich der näher gelegene Gegenstand (sagen wir, das Fensterkreuz) nach links über das entfernter gelegene Objekt hinwegzubewegen. Wenn man nach links schwingt, scheint er sich nach rechts zu bewegen. Diese scheinbare Bewegung sollte während einiger Schwünge beobachtet werden; dann sollten die Augen geschlossen werden. Während Sie immer noch von einer Seite zur anderen schwingen, stellen Sie sich nun die scheinbare Bewegung des Fensterkreuzes im Verhältnis zu dem Baum am Ende des Gartens oder zu dem gegenüberliegenden Haus vor. Anschließend öffnen Sie die Augen wieder und beobachten während ein paar weiterer Schwünge, wie sich das Fensterkreuz hin- und herbewegt. Dann schließen Sie die Augen wieder und sehen alles noch einmal vor Ihrem geistigen Auge. Und so weiter, ein bis zwei Minuten oder auch länger.

Dieses Vorgehen hat mehrere Vorteile. Es macht dem Geist die Bewegung bewußt und sozusagen vertraut. Es hilft, das Starren, diese schlechte Gewohnheit fehlsichtiger Augen, zu durchbrechen. Es führt automatisch zu einem Wandern der Aufmerksamkeit und der *fovea centralis*. Alles das trägt direkt zur dynamischen Entspannung der Sehorgane bei. Einen indirekten Beitrag mit dem gleichen Ergebnis leistet die rhythmische Bewegung des Schwunges, die Körper und Geist ebenso beruhigt, wie das die Bewegung einer Wiege oder eines Schaukelstuhls tut.

Beim langen Schwung kommt zu dieser beruhigenden Wirkung des kurzen Schwungs die wiederholte sanfte Drehung des

Oberkörpers hinzu, die eine wohltuende Wirkung direkt auf die Wirbelsäule ausübt. Bei diesem Schwung stellt man die Füße wie vorher leicht auseinander; anstatt aber die Bewegung des Körpers auf ein seitliches Pendeln zu beschränken, schwingt man jetzt in einem größeren Bogen, wobei man den Oberkörper entsprechend zu den Hüften und den Kopf entsprechend zu den Schultern bewegt. Beim Schwung nach links verlagert sich das Gewicht auf den linken Fuß, während der rechte Absatz sich hebt. Umgekehrt hebt sich der linke Fuß leicht vom Boden ab, wenn man sich nach rechts dreht. Während die Augen von einer Seite zur anderen wandern, beschreiben sie einen Bogen von 180 Grad oder mehr, und die Erscheinungswelt scheint in einem weiten Halbkreis an einem vorüberzuziehen. Man sollte nicht versuchen, irgendeinen Gegenstand in diesem sich vorüberbewegenden Gesichtsfeld mit den Augen festzuhalten, sondern eine Haltung völliger Passivität und Indifferenz einnehmen. Man läßt »die Welt an sich vorüberziehen«, ohne sich darum zu kümmern, ohne eine Anstrengung zu machen, etwas von dem, was da vorüberzieht, erkennen zu wollen. Der auswählende und erkennende Verstand ist ausgeschaltet, und man befindet sich auf der Ebene reiner Wahrnehmung – als ein Organismus auf Erholungsurlaub vom bewußten Ich.

So ein Urlaub vom Ich ist äußerst erholsam. Und da im allgemeinen dieses Ich für das schlechte Sehen verantwortlich ist (entweder weil es negative Gefühle hegt, oder weil es die Aufmerksamkeit fehlleitet, oder weil es auf andere Weise die Voraussetzungen für ein natürliches Sehen außer acht läßt), kann diese zeitweilige Hemmung der Aktivitäten des Ichs die bisherigen schlechten Gewohnheiten durchbrechen und den Boden für neue und bessere Gewohnheiten vorbereiten. Beim langen Schwung löst sich der Sinnesapparat zeitweise von seiner Bindung an den Verstand, der ihn durch Immobilisierung zum Starren mißbraucht, und lernt wieder in freier und unangestrengter Beweglichkeit zu funktionieren.

Eine Variante des kurzen Schwungs, die man im Sitzen unauffällig üben kann, ist der sogenannte Bleistiftschwung. Bei diesem Schwung dient als nahes Objekt ein Bleistift (oder auch der Zeigefinger), den man sich in einer Entfernung von etwa fünfzehn Zentimetern senkrecht vor die Nase hält. Man neigt den Kopf von einer Schulter zur anderen und beobachtet die scheinbare Bewegung des Bleistifts im Verhältnis zu den weiter entfernten Gegenständen im Hintergrund. Von Zeit zu Zeit sollte man die Augen schließen und diese scheinbare Bewegung in der Vorstellung mit dem geistigen Auge verfolgen. Bei geöffneten Augen kann man abwechselnd auf den Bleistift und auf die weiter entfernt liegenden, scheinbar vorüberziehenden Gegenstände blicken.

Diese Schwünge können und sollen nicht nur zu eigens dafür reservierten Zeiten geübt werden, sondern auch bei den täglichen Arbeiten. Vollkommenes Sehen ist ohne ständige Bewegung des Sinnesapparats und der Aufmerksamkeit unmöglich; und gerade dadurch, daß man sich die scheinbaren Bewegungen äußerer Gegenstände bewußt macht, kann man sich die das Sehen verschlechternden Gewohnheiten wie Starren und Immobilisierung der Augen höchst einfach und schnell abgewöhnen. Für fehlsichtige Menschen ist es deshalb sehr wichtig, die Schwungübungen in jeder möglichen visuellen Situation zu praktizieren.

Lassen Sie also bei jeder Bewegung, die Sie machen, die Welt an sich vorüberziehen und versuchen Sie, dieses Vorüberziehen bewußt zu erleben. Beobachten Sie, wenn Sie spazierengehen oder in einem Auto oder Bus fahren, wie die Bäume, Häuser, Straßenlaternen und Bürgersteige näher kommen und sich wieder entfernen. Machen Sie sich auch zu Hause bewußt, wenn Sie Ihren Kopf drehen, wie die näheren Objekte an weiter entfernten Objekten vorüberziehen. Durch das bewußte Wahrnehmen der scheinbaren Bewegung in Ihrer Umgebung fördern Sie die Mobilität der Augen und des Geistes und schaffen die Voraussetzungen zur Verbesserung Ihres Sehvermögens.

Die Schwünge sind von grundlegender Wichtigkeit für die Wiederherstellung einer normalen visuellen Funktion; sie sollten so oft wie möglich geübt werden. Aber es gibt auch andere Verfahren zur Förderung der Beweglichkeit und, indirekt, der zentralen Fixation. Einige davon seien hier erwähnt.

Werfen Sie mit der rechten Hand einen Gummiball hoch, und fangen Sie ihn, wenn er wieder herunterfällt, mit der linken Hand auf, oder noch besser, nehmen Sie in jede Hand einen Ball und werfen Sie denjenigen in der rechten Hand hoch; während er in der Luft ist, nehmen Sie den anderen Ball von der linken Hand in die rechte und benützen dann die linke Hand, um den herunterfallenden Ball zu fangen. Bei dieser einfachen Form des Jonglierens kann man die Bälle jeweils in einem kontinuierlichen leichten Rhythmus hochwerfen, was nicht möglich ist, wenn nur ein einziger Ball verwendet wird. Die Augen sollten auf den Ball gerichtet sein, wenn er mit der rechten Hand hochgeworfen wird, und ihn zum Gipfel seiner Flugbahn und wieder herunter verfolgen, bis er von der linken Hand aufgefangen wird. (Sie sollten nicht in den Himmel starren und darauf warten, daß der Ball in Ihrem Gesichtsfeld erscheint.) Diese einfache Jonglierübung kann nach längerer konzentrierter Arbeit viel dazu beitragen, die Augen zu lockern und zu entspannen.

Im Freien dient diese Übung nicht nur dazu, die Augen daran zu erinnern, daß sie sich zu bewegen haben, sondern auch dazu, sie an das Licht zu gewöhnen. Werfen Sie den Ball am Anfang vor einem dunklen Hintergrund, wie zum Beispiel einem Baum, in die Höhe. Dann wechseln Sie Ihren Standort, so daß Sie nun bei der Beobachtung des Balls in die weniger hellen Teile des Himmels blicken. Denken Sie an das »Lockerlassen« und verfolgen Sie Aufstieg und Fall des Balls mit den Augen; blinzeln Sie häufig. Wenn die Augen sich langsam an das Licht gewöhnt haben, wechseln Sie noch einmal Ihren Standort und lassen den Ball vor einem noch helleren Hintergrund hochfliegen. Bei den letzten zwei oder drei Würfen stellen Sie sich so hin, daß Ihnen die Sonne fast ins Gesicht scheint.

Würfel und Dominosteine können ebenfalls dazu dienen, Augen und Geist jene Beweglichkeit zurückzugeben, ohne die eine richtige zentrale Fixation und normales Sehen nicht möglich sind.

Nehmen Sie drei oder vier Würfel; lassen Sie sie vor sich auf den Tisch fallen, blicken Sie einen nach dem anderen kurz an, etwa eine Sekunde lang, wenden Sie dann den Blick zur Seite, oder schließen Sie die Augen, und nennen Sie die Zahlen auf den nach oben zeigenden Flächen der Würfel. Wenn das Spiel zu zweit gespielt wird (was bei Kindern immer der Fall sein sollte), sollte der Lehrer die Würfel werfen und dann dem Schüler eine Sekunde lang Zeit geben, um sie alle nacheinander kurz anzuschauen, anschließend sollte er sie mit der Hand zudecken und nach den Zahlen fragen. Dieses Vorgehen fordert eine rasche Verschiebung der Aufmerksamkeit und der Augen, und gleichzeitig stimuliert es das Gehirn auf eine Art und Weise, auf die wir später beim Thema »Blitzen« noch einmal zurückkommen werden.

Auch Dominosteine können dazu benützt werden, die schlechte Gewohnheit des Starrens aufzugeben und Augen und Geist zu der für das Sehen unerläßlichen Bewegung anzuspornen. Besorgen Sie sich ein Dominospiel, am besten eines, das Steine bis zur Doppelneun oder Doppelzwölf enthält. Legen Sie einen Teil der Dominosteine zum Beispiel in den Deckel einer Pappschachtel, sagen wir, in drei Reihen zu je acht oder zehn Steinen. Rücken Sie die Steine nahe aneinander, oder kleben Sie sie fest, damit Sie den Pappdeckel handhaben können, ohne daß die Steine durcheinander geraten. Stellen Sie den Deckel senkrecht auf einen Tisch, so daß Sie das Mosaik der Dominosteine vor Augen haben, und setzen Sie sich in angemessener Entfernung davor, um es zu betrachten. Falls Sie kurzsichtig sind, halten Sie den Deckel in den Händen, um die Dominosteine gut erkennen zu können; sobald sich Ihr Sehvermögen gebessert hat, können Sie den Abstand vergrößern. Nun nennen Sie so schnell wie möglich die Anzahl der Punkte in der oberen Hälfte der Dominosteine der ersten Reihe; dann in den unteren Hälften der Steine; dann die in den oberen und unteren Hälften der anderen Reihen. Tun Sie dies nicht mit dem Gefühl, geprüft zu werden, sondern entspannt und unter häufigem Blinzeln, mit leichten Augenbewegungen von Stein zu Stein. Schließen Sie die Augen einige Sekunden nach jeder Reihe. Dann beginnen Sie von vorn und nennen die Anzahl der Punkte, zuerst in jeder horizontalen Linie der einzelnen Gruppen auf der oberen und unteren Hälfte der Dominosteine, dann in jeder vertikalen Linie, dann in den Diagonalen. Anschließend erschweren Sie sich die Aufgabe ein wenig, indem Sie die Anzahl der Punkte in den vertikalen Linien der oberen und unteren Punktgruppen eines Steines zusammenzählen.

Diese Dominoübungen, wie auch jene Übungen, die im Kapitel »Blitzen« beschrieben werden, sind in allen mit Überanstrengung und Starren verbundenen Fällen von Fehlsichtigkeit wertvoll, besonders aber bei Hornhautverkrümmung.

Eine Hornhautverkrümmung besteht dann, wenn der Krümmungsradius der Hornhaut nicht in allen Meridianen gleich groß ist. Die durch dieses verzerrte Medium fallenden Lichtstrahlen werden unregelmäßig gebündelt. Bei vielen Augenkranken kann dieser Zustand entscheidend verändert werden. Brillengläser pflegen die Hornhaut starr in jenem Zustand zu fixieren, der im Moment der Untersuchung durch den Augenarzt vorlag. Deshalb besteht kaum Hoffnung auf Heilung, solange man eine Brille trägt. Wenn aber derjenige, der unter Astigmatismus leidet, einmal seine Brillengläser weglegt, die Kunst der passiven und dynamischen Entspannung erlernt und die Beweglichkeit seiner Aufmerksamkeit sowie seiner Augen fördert, kann er seine Behinderung verringern oder sogar ganz beseitigen. Dominosteine sind sehr leicht zu sehen; infolgedessen ist bei dieser Übung das schnelle Wandern der Aufmerksamkeit und der Augen mit keinerlei Anstrengung verbunden. Spannungen werden gelöst, und mit der Bewegung der Augen von einem Punkt zum anderen kommt es durch alle Teile der Hornhaut zu einer enormen Anzahl von Sinneswahrnehmungen. Dies scheint die Unregelmäßigkeiten der Hornhaut »auszubügeln«. Wir wissen nicht, wie dies genau geschieht. Wenn die Hornhautverkrümmung aber, was am wahrscheinlichsten ist, auf psychische und muskuläre Spannungen zurückzuführen ist, kann es nicht überraschen, daß sie verschwindet, wenn der Betreffende die Kunst erlernt hat, Sinneseindrücke ohne Anspannung zu empfangen und richtig zu interpretieren. Wie dem auch sei, es ist eine Tatsache, daß Astigmatiker nach den Dominoübungen eindeutig besser sehen als zuvor. Sobald die falschen Sehgewohnheiten abgebaut und durch neue, bessere ersetzt worden sind, kommt es zu einer dauerhaften Verbesserung des Sehvermögens.

Dieses »Ausbügeln« kann oft durch eine Art konzentrierter oder gedrängter Variante der Dominoübung beschleunigt werden. Nehmen Sie den Pappdeckel, auf dem Sie die Dominoreihen gut befestigt haben, in beide Hände, halten Sie ihn in einer Entfernung von acht bis zehn Zentimetern vor das Gesicht, und bewegen Sie ihn horizontal hin und her. Diese Bewegung von einer Seite zur anderen sollte sich über nicht mehr als fünfzehn bis zwanzig Zentimeter erstrecken und von einem Wenden des Kopfs in die entgegengesetzte Richtung begleitet sein. Wenn der Deckel sich nach links bewegt, sollte sich der Kopf leicht nach rechts drehen, und umgekehrt. Bemühen Sie sich nicht, die einzelnen Punkte auf den Dominosteinen zu sehen; die Bewegung von Pappdeckel und Kopf sollte nur gerade so groß sein, daß die Illusion entsteht, man sehe nicht die einzelnen Punkte, sondern mehr oder weniger durchgehende Linien, welche durch die scheinbare Fortbewegung der Punkte erzeugt werden. Nach ein oder zwei Minuten horizontaler Bewegungen können Sie zur Vertikalen übergehen. Halten Sie den Deckel mit seiner langen Seite senkrecht zum Boden, bewegen Sie ihn auf und ab, den Kopf ebenso, aber jeweils in der entgegengesetzten Richtung, genau wie beim horizontalen Schwung.

Diese Übungen scheinen etwas seltsam, simpel und sinnlos. Aber das Bedeutsame an ihnen ist, daß sie (in Verbindung mit den anderen hier beschriebenen Verfahren) vielen Menschen mit Hornhautverkrümmung zunächst eine kurzfristige und später eine bleibende Verbesserung ihres Sehvermögens gebracht haben.

11 »Blitzen«

Das Verfahren, das Dr. Bates »Blitzen« genannt hat, trägt viel zur Förderung der Beweglichkeit und zur Steigerung der Wahrnehmungs- und Interpretationsfähigkeit beim Sehvorgang bei.

»Blitzen« ist das Gegenteil von Starren. Anstatt einen Gegenstand mit dem Blick zu fixieren, anstatt Augen und Geist zu immobilisieren und sich bei dem Versuch, alles auf einmal gleich deutlich zu sehen, zu überanstrengen, blickt man nur ganz kurz den Gegenstand an (»blitzt« ihn an), schließt dann die Augen und erinnert sich an das, was man im Verlauf dieses schnellen »Sprungs ins Unbekannte« wahrgenommen hat.

Wenn man einige Erfahrung im »Blitzen« hat, macht man eine interessante Entdeckung: Die Sehorgane nehmen viel mehr auf, als dem wahrnehmenden Verstand bewußt ist – besonders wenn der wahrnehmende Verstand dauernd verkrampft und überanstrengt ist. Wir können also etwas sehen, ohne uns dessen bewußt zu sein. Ich meine, es lohnt sich, diesem »unbewußten Sehen« einige Abschnitte zu widmen, denn dieses Thema ist nicht nur von beachtlichem theoretischem Interesse, sondern auch von großer praktischer Bedeutung.

Unbewußtes Sehen

Mit dem etwas ungenauen Ausdruck »unbewußtes Sehen« werden ganz unterschiedliche Phänomene bezeichnet.

Da ist zunächst das »unbewußte Sehen«, das uns befähigt, mit einer schnellen reflexartigen Bewegung einer Gefahr auszuweichen; das Auge erhält einen Sinneseindruck, und die Muskeln reagieren darauf, noch bevor wir Zeit gehabt haben, das bedrohliche *sensum* als ein möglicherweise gefährliches Objekt zu interpretieren. In solchen Fällen arbeitet das Nervensystem schneller als der Verstand, der die Situation erst erkennt und bewußt sieht, wenn die Reaktion auf die Gefahr schon begonnen hat. Während eines Sekundenbruchteils arbeiten Augen und Muskeln unbewußt.

Um eine ähnliche Form von unbewußtem Sehen handelt es

sich, wenn wir uns, zum Beispiel in ein Gespräch vertieft oder in Gedanken versunken, im Straßenverkehr bewegen oder ein schwieriges Gelände durchqueren. Die uns umgebenden Objekte werden nicht aktiv vom Bewußtsein aufgenommen, und doch bewegt sich unser Körper so, wie wenn dies der Fall wäre – wir stehen still, gehen weiter, wenden uns in eine andere Richtung und meiden Hindernisse, genau wie wir es tun würden, wenn wir auf sicheres Gehen bedacht und nicht in ein Gespräch vertieft oder mit allerlei Gedanken beschäftigt wären. Dabei sind wir jederzeit in der Lage, uns der Sinneswahrnehmungen, die wir gerade empfangen, bewußt zu werden, und gelegentlich tun wir dies tatsächlich. Dazwischen kommt es jedoch zu einem »unbewußten Sehen« – einer Sinneswahrnehmung ohne eigentliches Erkennen.

Schließlich gibt es jene vollkommen normale und gewöhnliche Form des unbewußten Sehens, die ständig in jenen Teilen unseres Gesichtsfelds stattfindet, die wir nicht in den Erkennungsprozeß einbeziehen. Es gibt um uns herum eine unendliche Anzahl von Gegenständen; aber zu einem bestimmten Zeitpunkt befassen wir uns jeweils nur mit einigen wenigen. Aus dem gesamten Gesichtsfeld wählen wir die *sensa* aus, die uns gerade interessieren; die übrigen lassen wir unbeachtet und nehmen sie nicht bewußt wahr. Wenn unser Sehvermögen normal ist, sind wir aber stets physisch und psychisch in der Lage, die *sensa* herauszusondern, die wir ursprünglich nicht beachten oder erkennen wollten. Diese Form des »unbewußten Sehens« ist bei genauer Analyse als willkürlich zu bezeichnen; wenn wir dies und jenes nicht bewußt sehen, dann lediglich deshalb, weil wir es nicht wollen, weil es uns nicht paßt, es bewußt zu sehen.

Es gibt aber auch Situationen, in denen diese Unbewußtheit unwillkürlich ist, in denen das Gehirn unfähig ist, sich dessen bewußt zu werden, was die Augen empfangen. Dann gucken wir, ohne zu sehen. Das ist möglich, wenn keine Sinneswahrnehmungen empfangen werden, oder wenn die *sensa* so undeutlich sind, daß sie nicht interpretiert werden können. Aber das ist keineswegs immer der Fall. Manchmal findet eine Sinneswahrnehmung statt und die *sensa* sind genügend deutlich, um interpretiert zu werden, und doch werden sie nicht interpretiert; obwohl wir theoretisch sehen sollten, was wir anblicken, sehen wir es nicht. In diesem Falle besteht immer jene Verkrampfung der Augen und des Nervensystems, die oft (zuerst als Ursache und später als Folgezustand) mit Brechungsfehlern verbunden ist. Es stimmt zwar, daß die *sensa* bei Menschen, die unter einer solchen Verkrampfung leiden, schwach und undeutlich sind. Sie könnten aber interpretiert und als Erscheinungen äußerer Gegenstände erkannt werden. Die Tatsache, daß sie nicht interpretiert und erkannt werden, beruht auf der Verkrampfung, die eine Art Barriere zwischen dem empfangenden Auge und dem wahrnehmenden Verstand errichtet.

Nun lassen *sensa* (wie Dr. Broad nach eingehendem Studium aller zur Verfügung stehenden Daten geschlossen hat) stets »Gedächtnisspuren« zurück, und zwar solche, die später wieder aufgefrischt werden können und dann ein Erinnerungsbild erzeugen. (Über das Wesen dieser Gedächtnisspuren oder »Engramme« weiß bis heute niemand genau Bescheid. Es kann sich um ein rein physisches oder rein psychisches Phänomen handeln oder um eine Kombination von beidem. Das einzige, was wir mit Sicherheit annehmen können, ist, daß diese Engramme existieren und unter günstigen Bedingungen Erinnerungsbilder erzeugen können.)

Die Erfahrungen derjenigen, die einen Schulungskurs für richtiges Sehen absolviert haben, gibt der Hypothese weiteres Gewicht, daß *sensa* Spuren hinterlassen und daß man sich deshalb an sie erinnern kann, sogar dann, wenn sie ursprünglich vom Verstand nicht wahrgenommen wurden. Wenn ein Fehlsichtiger einen Gegenstand mit einem flüchtigen Blick ansieht, kann er ihn oft gar nicht oder nur als verschwommenen Fleck sehen. Wenn er sich aber abwendet oder die Augen schließt, entdeckt er, daß er ein Erinnerungsbild von dem besitzt, was das Auge wahrgenommen hat. Dieses Bild ist oft so extrem schwach, daß er sich kaum seiner Gegenwart bewußt ist. Wenn er es aber nicht mit aller Gewalt ins Bewußtsein zu bringen versucht und nur eine vage Vermutung darüber anstellt, was es sein könnte, zeigt sich sehr oft, daß diese Vermutung richtig ist. Daraus dürfen wir schließen, daß wir uns an etwas erinnern können, was wir nur als bloßen Sinneseindruck empfangen, nicht aber bewußt gesehen haben, immer unter der Voraussetzung, daß Spannungen des bewußten Ichs beseitigt sind, sei es durch Hypnose oder durch andere, weniger drastische Methoden.

Die zuletzt genannte Voraussetzung ist von größter praktischer Bedeutung. Denn Spannungen errichten, wie schon gesagt, eine Barriere zwischen dem empfangenden Auge und dem wahrnehmenden Verstand. Wenn aber die verkrampften Sehorgane durch Zudecken mit den Handtellern, durch Sonnenbestrahlung oder Schwungübungen entspannt werden, fällt diese Barriere; und wenn auch am Anfang nicht erkannt werden kann, was der Sinnesapparat bei der Betrachtung eines Gegenstands empfängt, wird es doch immer leichter, bei geschlossenen Augen eine korrekte Vermutung über das Erinnerungsbild anzustellen, das aus den von der Sinneswahrnehmung zurückgelassenen Spuren entsteht.

Mit der Hilfe eines guten Lehrers gelingt es leichter, sich die Erinnerungsbilder dessen, was wir zwar empfangen, aber nicht wirklich gesehen haben, bewußt zu machen. Kinder, die ja weniger ihrer selbst bewußt sind als Erwachsene, reagieren besonders gut auf die Hinweise und die Anleitung eines Lehrers. Man zeigt zum Beispiel einem Kind einen Gegenstand, sagen wir, einen Dominostein, einen Druckbuchstaben oder ein Wort, in einer Entfernung, in der es ihn normalerweise nicht sehen kann. Man fordert es auf, einen flüchtigen Blick darauf zu werfen, dann die Augen zu schließen und das Objekt »in der Luft zu ergreifen«. Das Kind nimmt diese Anweisung ganz wörtlich, hebt die Hand, schließt sie im Leeren, senkt sie, öffnet sie, betrachtet die Handfläche und gibt die richtige Antwort, wie wenn es sie aus der Hand ablesen könnte.

Nach einigem Üben senkt sich die bei fehlsichtigen Menschen immer vorhandene Barriere zwischen Sinneseindruck und Erkennen so weit, daß das unbewußte Sehen (d. h. die Erinnerung an die von Sinneswahrnehmungen zurückgelassenen Spuren) einem bewußten Sehen weicht (d. h. dem augenblicklichen Erkennen dessen, was als Sinneseindruck hereinkommt). Am Anfang besteht im allgemeinen ein langes Intervall zwischen dem Akt der Sinneswahrnehmung und dem Akt des Erkennens. Es können mehrere Sekunden vergehen, bis der Betreffende sagen kann, was er gesehen hat. Die psychologische, durch Verkrampfung entstandene Barriere zwischen Augen und Verstand ist zwar niedriger geworden, aber nicht vollständig gefallen. Mit der Zeit wird der Abstand immer kürzer, bis zuletzt die Sinneswahrnehmung und das Erkennen fast gleichzeitig stattfinden, wie dies normalerweise der Fall sein sollte.

Übungstechniken für das »Blitzen«

Das blitzschnelle Hinblicken kann, ähnlich wie die Schwungübungen, in den Tagesablauf integriert werden. Fehlsichtige Menschen sind immer stark der Versuchung ausgesetzt, zu starren. Wehren Sie sich dagegen und gewöhnen Sie sich statt dessen daran, immer nur einen kurzen Blick auf einen bestimmten Gegenstand zu werfen, dann die Augen abzuwenden oder einige Zeit zu schließen und sich daran zu erinnern, was Sie wahrgenommen haben. Plakatwände und Schaufenster, an denen man vorbeispaziert oder an denen man im Auto oder Bus vorbeifährt, eignen sich ausgezeichnet zum Üben dieser Blicktechnik. Bei dieser flüchtigen Betrachtung der Welt ist der beste innere Zustand der einer heiteren Gelassenheit. Genauso wie man bei den Schwungübungen die Welt vorüberziehen läßt, ohne sich zu bemühen, ihre Einzelheiten zu erfassen, sollte man jedes ängstliche Bestreben, alles genau zu sehen, aufgeben und sich damit begnügen, zuerst die Gegenstände der Erscheinungswelt und danach ihre Erinnerungsbilder mit einem kurzen Blick zu streifen. Wenn das innere Bild mit dem sichtbaren Objekt übereinstimmt – was bei einem zweiten, näheren Blick geprüft werden kann –, gut so. Wenn es damit nicht übereinstimmt und nur ein verschwommener Fleck ist, auch gut. Nichts ist hinderlicher für das Sehen als eine Haltung, die von Ehrgeiz, Zielstrebigkeit und Erfolgsdruck geprägt ist. Alle Bemühungen des bewußten Ichs sind von vornherein zum Scheitern verurteilt. Wenn man aufhört, um jeden Preis sehen zu wollen, kommt das Sehen ganz von selbst.

Das gelegentliche »Blitzen« sollte durch systematisches

Üben während dafür reservierter Zeiten ergänzt werden. Die dabei benützten Objekte sollten relativ klein, einfach, scharf konturiert und gut vertraut sein. Hier sind zum Beispiel ein paar wirkungsvolle Übungen, bei denen Dominosteine verwendet werden:

Entspannen Sie die Augen eine Weile durch Zudecken mit den Handtellern; dann ergreifen Sie einen beliebigen Dominostein, halten ihn auf Armeslänge von sich weg, lassen die Augen mit einem schnellen Blick darübergleiten und schließen sie. Selbst wenn Sie die Punkte nicht deutlich gesehen haben, werden Sie wahrscheinlich einen Sinneseindruck davon empfangen haben, und dieser Sinneseindruck wird eine Spur hinterlassen haben, die Sie als Erinnerungsbild wieder auffrischen können. Immer noch mit geschlossenen Augen, sagen Sie sich, was Sie auf der oberen und was Sie auf der unteren Hälfte des Dominosteins gesehen haben. Öffnen Sie die Augen und nehmen Sie, wenn nötig, den Dominostein näher heran, um Ihre Vermutung zu überprüfen. Wenn sie richtig war, gut. Wenn sie falsch war, auch gut. Nehmen Sie einen anderen Dominostein und beginnen Sie von vorne.

Eine etwas ausgebaute Variante derselben Übung geht so: Nehmen Sie ein Dutzend Dominosteine und stellen Sie sie in einer Reihe entlang einer Tischkante auf. Setzen Sie sich in dem Abstand davor, in dem Sie die Steine noch bequem sehen können. Lassen Sie Ihre Augen von links nach rechts die Reihe entlang wandern, und zählen Sie die Dominosteine dabei so schnell wie irgend möglich. (Die immobilisierten Augen und die Aufmerksamkeit wandern dabei mit ungewohnter Geschwindigkeit, was für sich schon eine heilsame Übung darstellt.) Dann gehen Sie mit den Augen zum ersten Dominostein zurück und nennen, nachdem Sie die Augenlider geschlossen haben, die Anzahl der Punkte in seiner oberen und unteren Hälfte. Öffnen Sie die Augen und überprüfen Sie den Eindruck. Dann zählen Sie noch einmal die ganze Reihe von Steinen durch; anschließend blicken Sie den zweiten Dominostein flüchtig an, schließen die Augen und nennen seine Punktanzahlen. Fahren Sie so mit Zählen und blitzartigem Hinsehen fort, bis Sie das Ende der Reihe erreicht haben.

Falls Sie kurzsichtig sind und weiter entfernte Gegenstände nicht erkennen können, führen Sie diese Übung das erste Mal innerhalb einer Distanz aus, in der Sie noch gut sehen; dann treten Sie etwas zurück und wiederholen die Übung. Ihre Vertrautheit mit den Dominosteinen wird Sinnestäuschungen ausschließen und das Sehen aus größerer Entfernung erleichtern. So ist es möglich, den Sehbereich nach und nach auszudehnen.

Wer weitsichtig ist und nur mit Gegenständen in der Nähe Mühe hat, sollte umgekehrt vorgehen. Beginnen Sie mit einem größeren Abstand; dann gehen Sie näher heran und machen die Übung so noch einmal.

12 Blickverschiebeübungen

Die in den vorangegangenen Kapiteln beschriebenen Übungen dienen hauptsächlich dazu, die Beweglichkeit der Aufmerksamkeit und der Augen zu fördern, aber sie lehren indirekt auch die Kunst, zentral zu fixieren. Nachdem wir durch diese Übungen gelernt haben, die Augen und die Aufmerksamkeit in konstanter Bewegung zu halten, und nachdem wir so dem Grundübel des psychischen und physischen Starrens weniger unterworfen sind als zuvor, können wir uns nun ohne Risiko auf einem etwas direkteren Weg der zentralen Fixation nähern. Aber auch jetzt werden wir noch einen kleinen Umweg machen. Bevor wir versuchen, uns der Tatsache voll bewußt zu werden, daß wir immer eine kleine Stelle deutlicher als alle anderen sehen, ist es gut, etwas Unterricht in der Kunst des kontinuierlichen und konzentrierten Sehens zu nehmen. Die Schwungübungen lassen die Augen und den wahrnehmenden Verstand Bewegungen von beachtlicher Amplitude ausführen, und das »Blitzen« trainiert die Schnelligkeit der Bewegung und der interpretativen Reaktion. Nun müssen wir uns die ganz kleinen Blickverschiebungen beibringen; denn von diesen kleinsten Bewegungen der Augen und des wahrnehmenden

Verstandes hängt das kontinuierliche, konzentrierte und aufmerksame Sehen ab. Wie ich bereits ausgeführt habe, liegt es im Aufbau der Augen und im Wesen des Nervensystems, daß ein normales Sehen ohne diese unablässigen kleinsten Blickverschiebungen nicht möglich ist.

Normalsichtige Menschen lassen bei der aufmerksamen Betrachtung eines Gegenstands unbewußt ihre Augen und ihre Aufmerksamkeit in unzähligen, fast nicht wahrnehmbaren kleinsten Bewegungen von Punkt zu Punkt wandern. Bei fehlsichtigen Menschen dagegen ist die Anzahl solcher Bewegungen stark reduziert, und es besteht eine Tendenz zum Starren. Deshalb müssen sich diese Menschen die kleinsten Blickverschiebungen, die sie in der Kindheit unbewußt erworben und später wieder verloren haben, bewußt wieder aneignen.

Analytisches Betrachten

Der beste Weg, sich diese Fähigkeit wieder anzueignen, ist, einen Gegenstand, auf den Sie Ihre Aufmerksamkeit konzentrieren wollen, »analytisch zu betrachten«. Starren Sie nicht; versuchen Sie nicht mehr, alle Teile dieses Gegenstands gleichzeitig deutlich zu sehen. Nehmen Sie sich statt dessen vor, ihn bewußt in kleinen Ausschnitten zu sehen, alle seine wichtigen Teile nacheinander als Sinneswahrnehmungen zu empfangen und zu erkennen.

Wenn Sie zum Beispiel ein Haus betrachten, zählen Sie die Fenster, Schornsteine und Türen. Folgen Sie mit Ihren Augen seiner Silhouette vor dem Himmel. Lassen Sie Ihren Blick horizontal entlang der Dachrinne laufen und vertikal über die Zwischenräume zwischen den Fenstern – und so weiter.

Dieses analytische Betrachten wird bei allen Übungssystemen empfohlen, die das Gedächtnis und die Konzentrationsfähigkeit verbessern sollen. Es ermöglicht demjenigen, der es praktiziert, sich eine klare geistige Vorstellung dessen zu machen, was er gesehen hat. Und er wird fähig, anstatt zu starren und nur ein vages Bild aufzunehmen, dem er dann die Bezeichnung »Haus« gibt, eine Vielzahl von interessanten und charakteristischen Tatsachen über das Haus aufzählen zu können – daß es, sagen wir, im Parterre vier Fenster und eine Tür, im oberen Stock fünf Fenster, an beiden Seiten zwei Schornsteine und ein Dach aus Ziegeln besitzt. Dieses detaillierte Wissen über das Haus, das sich aus dem analytischen Betrachten ergibt, wird das Sehvermögen bei einer späteren Gelegenheit, wenn dasselbe Objekt betrachtet wird, verbessern. Denn wir sehen die Dinge am besten, die uns vertraut sind; und unsere verbesserte Vorstellung von einem Objekt erleichtert im allgemeinen in Zukunft seine Wahrnehmung. Das analytische Betrachten verbessert also das Sehvermögen nicht nur dann und wann, indem es uns zwingt, mit den Augen und unserer Aufmerksamkeit ständig von Punkt zu Punkt zu wandern; es trägt auch dazu bei, die zukünftige Sehleistung zu verbessern, indem es unsere Vorstellung von dem betrachteten Objekt verbessert, es uns vertraut erscheinen läßt und uns deshalb das Wahrnehmen und das Erkennen erleichtert.

Das analytische Betrachten kann sogar mit so bekannten Gegenständen wie Buchstaben, Zahlen, Plakaten sowie den Gesichtern von Verwandten und Freunden nutzbringend geübt werden. Wie gut wir diese Dinge auch zu kennen glauben, wir werden ziemlich sicher feststellen, daß wir sie noch um einiges besser kennenlernen können, wenn wir uns die Mühe machen, sie analytisch zu betrachten. Lassen Sie Ihre Augen beim Betrachten von Buchstaben oder Zahlen an den Umrissen entlangwandern; beobachten Sie, wie die Zwischenräume zwischen ihnen geformt sind und was der von ihnen eingeschlossene Raum für eine Form hat; zählen Sie die Ecken eines Großbuchstabens oder einer großen Zahl. Wenn Sie dies tun, werden Ihre Augen und Ihre Aufmerksamkeit gezwungen, eine Menge kleinster Blickverschiebungen auszuführen, was Ihre Sehkraft verbessern wird; gleichzeitig werden Sie eine große Anzahl Ihnen bisher unbekannter Tatsachen erfahren, deren Kenntnis Ihnen später helfen wird, alles besser und schneller wahrzunehmen.

Fehlsichtige Leute pflegen dann am stärksten und hartnäckigsten zu starren, wenn sie mit ihren Mitmenschen sprechen. Gesichter sind für uns sehr wichtig, denn indem wir ihren wechselnden Ausdruck beobachten, gewinnen wir äußerst wertvolle Hinweise über die Gedanken, Gefühle und den momentanen Zustand derjenigen, mit denen wir in Kontakt sind. Um diese Informationen zu bekommen, strengen sich fehlsichtige Menschen besonders stark an. Mit anderen Worten, sie starren noch mehr als gewöhnlich. Das Ergebnis ist ein unangenehmes Gefühl und Verlegenheit bei dem, der angestarrt wird, und ein Absinken des Sehvermögens bei dem, der starrt. Das Heilmittel dafür ist »analytisches Betrachten«. Starren Sie nicht auf Gesichter in der vergeblichen Hoffnung, alle Einzelheiten auf einmal deutlich zu sehen. Lassen Sie vielmehr den Blick schnell über das Gesicht wandern, das Sie betrachten, von Auge zu Auge, von Ohr zu Ohr, vom Mund zur Stirn. Sie werden die Einzelheiten des Gesichts und seinen Ausdruck deutlicher sehen; und gleichzeitig werden Sie bei der Person, die Sie anschauen, nicht den Eindruck des Starrens erwecken – sondern daß Sie sie in entspannter und lockerer Weise anschauen, mit Augen, die dank der schnellen, kleinen Blickbewegungen lebhaften Glanz ausstrahlen.

Im Alltag sollten Sie alle Gelegenheiten wahrnehmen, die ununterbrochenen kleinsten Blickverschiebungen zu üben, besonders wenn Sie lange konzentriert in die Nähe oder in die Ferne sehen müssen. Es gibt auch einige Übungen, die man während eigens dazu vorbehaltener Zeiten machen sollte.

Lehrer in der Kunst des Sehens haben eine beträchtliche Anzahl solcher Blickübungen erdacht, die bei richtiger Durchführung alle gute Wirkung zeigen. Hier werde ich nur eine davon beschreiben – ein besonders gutes Beispiel –, die von Margaret D. Corbett entwickelt und in ihrem Buch »How to Improve Your Eyes« beschrieben wurde.

Als einziges Hilfsmittel für diese Übung benötigt man ein Blatt von einem jener großen Wandkalender, auf deren oberem Teil mit großen Zahlen der laufende Monat dargestellt ist, während der vorhergehende und der folgende Monat in viel kleineren Zahlen unten erscheinen. Ein solches Blatt bietet, da es Zahlen verschiedener Größe enthält, alle Vorteile der Snellen-Sehprobentafel, die vom Augenarzt zur Prüfung der Sehschärfe verwendet wird. Eine Reihe aufeinanderfolgender

Zahlen bietet dem Verstand keinerlei Schwierigkeiten und besitzt deshalb auch nicht die Nachteile der Snellen-Sehprobentafel – eine solche Zahlenreihe ist nicht vollständig fremd und soll weder verwirren noch täuschen, was Leute, die solche Vorrichtungen für Sehtests entwickeln, meistens beabsichtigen. Da unser Anliegen aber nicht die Prüfung, sondern die Verbesserung des Sehvermögens ist, tun wir gut daran, einen Gegenstand für unsere Übungen zu wählen, der uns völlig vertraut und deshalb leicht zu sehen ist und so unser Selbstvertrauen stärken kann. Ein Kalender erfüllt diese Bedingungen hervorragend und hat zudem den Vorteil, nicht die gleichen unangenehmen Assoziationen wie die Sehprobentafel zu wecken. Die meisten Kinder und viele Erwachsene mögen es nicht, wenn ihre Augen getestet werden; sie werden dabei so nervös, daß sie viel schlechter sehen als gewöhnlich. Infolgedessen ist die Snellen-Sehprobentafel von einer Art Aura des Unangenehmen umgeben, die sie zu einem der am schlechtesten sichtbaren Objekte überhaupt werden läßt. Die Snellen-Sehprobentafel sollte deshalb für die visuelle Schulung nur von denen verwendet werden, die ihr neutral gegenüberstehen, und nur dann, wenn der Benützer jede Zeile der in der Größe abgestuften Sehzeichen genau kennt, von den großen Buchstaben ganz oben bis zu den kleinsten Buchstaben ganz unten auf der Tafel. Wenn diese Bedingungen nicht erfüllt sind, kann die Snellen-Sehprobentafel leicht zu einer Quelle von Ängsten und Verkrampfungen werden. Ein guter Lehrer erkennt aber die Neigung eines Schülers zur Verkrampfung und wird alles tun, um sie zu vermeiden. In der Hand eines guten Lehrers ist die Snellen-Sehprobentafel also ein sicheres Instrument für die Sehschulung. Wer allein übt, wird aber mit anderem Trainingsmaterial besser zurechtkommen.

Die Kalenderübung

Bei der Arbeit mit dem Wandkalender lockern wir das Starren durch ein sehr ähnliches Vorgehen wie bei einer der Dominoübungen auf. Hängen Sie den Kalender so an die Wand, daß er, wenn Sie sitzen, sich in Augenhöhe befindet. Sorgen Sie dafür, daß er gut beleuchtet ist, entweder durch direktes oder reflektierendes Sonnenlicht oder (wenn die Sonne nicht scheint) durch gewöhnliches Tageslicht oder eine starke Lampe. Nehmen Sie einen Stuhl und setzen Sie sich in einer Entfernung, aus der Sie den größeren Druck ohne Schwierigkeiten sehen können, vor den Kalender. Bedecken Sie die Augen eine Weile mit den Handtellern und tun Sie dann folgendes:

Drehen Sie den Kopf nach links, wie wenn Sie über Ihre linke Schulter blicken wollten; dann drehen Sie ihn zurück, sanft und nicht zu schnell, bis Ihre Augen auf der Zahl Eins des oberen, großgedruckten Kalenders ruhen. Nehmen Sie diese Zahl bewußt wahr, schließen Sie dann die Augen, atmen Sie tief und entspannt und drehen Sie gleichzeitig den Kopf ein wenig hin und her, um die Bewegung nicht völlig zu unterbrechen. Nach einigen Sekunden drehen Sie den Kopf weiter über die rechte Schulter, öffnen die Augen, drehen den Kopf wieder zurück, bis die Augen auf der Zahl Zwei ruhen. Schließen Sie wieder die Augen, drehen Sie den Kopf nach links und dann zurück zu der Drei, und so weiter.

Wenn Sie an der Zahlenreihe entlangblicken bis zur ausgewählten Zahl, lassen Sie die Augen stets der weißen Linie direkt unterhalb der Zeile folgen. Eine weiße Fläche wie der Hintergrund eines geschriebenen Wortes oder einer Zahl bietet bei der Interpretation durch den Verstand keine Schwierigkeiten und kann deshalb nicht Anlaß zur Verkrampfung werden. Wenn der Blick dem weißen Zwischenraum direkt unterhalb der Zeile folgt, erreicht der Verstand sein Ziel in einem Zustand der Entspannung – mit dem Ergebnis, daß die Aufmerksamkeit und die Augen ihre Aufgabe, nämlich kleinste, sehr schnelle Blickbewegungen auszuführen und die zentrale Fixation aufrechtzuerhalten, unter den bestmöglichen Voraussetzungen erfüllen können.

Nachdem Sie auf dem Kalender den ganzen Monat oder so viel, wie Ihnen möglich war, durchgegangen sind, bedecken Sie die Augen ein wenig mit den Handtellern, um dann mit der nächsten Phase der Übung zu beginnen. Da das weitere Vorgehen ein aufmerksameres Sehen erfordert als die vorhergehende

Übung, werden Sie mehr als gewöhnlich in Versuchung kommen, den Atem anzuhalten. Widerstehen Sie dieser Versuchung und atmen Sie während der ganzen Übung bewußt etwas tiefer als normal.

Blicken Sie auf die Zahl Eins des großgedruckten Monats und lassen Sie dann Ihre Augen zur entsprechenden Zahl des kleingedruckten Monats auf dem Blatt unten links wandern. Betrachten Sie diese nur kurz, schließen Sie dann die Augen und entspannen Sie sich für einige Sekunden. Öffnen Sie die Augen und blicken Sie wieder auf die Eins in dem großgedruckten Kalender und lassen dann die Augen zur Eins des kleingedruckten Monats unten rechts wandern. Schließen Sie wieder die Augen locker und entspannt und achten Sie darauf, regelmäßig zu atmen. Dann öffnen Sie sie wieder – diesmal mit Blick auf die großgedruckte Zwei. Wandern Sie zur Zwei unten links. Schließen Sie die Augen, atmen Sie, öffnen Sie wieder die Augen mit Blick auf die großgedruckte Zwei und lassen Sie den Blick nach unten rechts zur kleingedruckten Zwei wandern. Schließen Sie die Augen, atmen Sie und fahren Sie mit den anderen Zahlen auf die gleiche Art und Weise fort, entweder bis Sie durch den ganzen Monat sind, oder, wenn Ihnen die Übung ermüdend erscheint, bis Sie am Ende der ersten oder zweiten Woche sind.

Am Anfang haben Sie möglicherweise Schwierigkeiten, die kleingedruckten Zahlen zu sehen. Sollte dies der Fall sein, verweilen Sie nicht zu lange dabei und machen Sie keine Anstrengungen, sie zu sehen; verwenden Sie besser die im Kapitel »Blitzen« beschriebene Technik. Blicken Sie entspannt und scheinbar ohne Interesse kurz die kleine Zahl an; dann, während die Augen für kurze Zeit geschlossen sind, prüfen Sie, ob Sie irgendein Erinnerungsbild davon besitzen. Bei dieser Suche nach dem unscharfen Erinnerungsbild der kleineren Zahl kann Ihnen die deutlichere Erinnerung an die größere, im übrigen aber genau gleiche Zahl helfen. Da Sie wissen, was Sie gerade hätten sehen sollen, werden Sie bald feststellen, daß Sie es tatsächlich sehen – zuerst vielleicht unbewußt, als Erinnerungsbild einer nur vagen Sinneswahrnehmung; dann schon im ersten Augenblick bewußt und mit zunehmender Deutlichkeit.

Nach einer kurzen Unterbrechung, während der Sie die Augen mit den Handtellern bedeckt haben, kommen Sie zum nächsten Übungsabschnitt. Denken Sie mit geschlossenen Augen an eine Zahl zwischen Eins und Einunddreißig. Nehmen wir an, Sie denken zu Beginn an die Zahl Siebzehn. Öffnen Sie die Augen und suchen Sie so schnell wie irgend möglich die Siebzehn, zuerst auf dem großgedruckten Kalender, dann auf dem kleingedruckten unten links. Schließen Sie die Augen und atmen Sie. Dann öffnen Sie die Augen wieder und schauen auf die große Siebzehn und lassen Ihren Blick zu der entsprechenden kleinen Zahl unten rechts wandern. Schließen Sie wieder die Augen, atmen Sie, denken Sie sich eine andere Zahl und wiederholen Sie die Übung damit. Nach zehn bis zwölf Wiederholungen können Sie zur nächsten Phase der Übung gehen.

Hierbei wenden wir uns wieder den kleinsten Blickverschiebebewegungen zu, die wir mit einem kleinen rhythmischen Schwung an Objekten wie Buchstaben und Zahlen auszuführen lernen. Blicken Sie auf die große Eins. Zuerst konzentrieren Sie sich auf den oberen Teil der Zahl, dann auf den unteren; dann verschieben Sie Augen und Aufmerksamkeit wieder auf den oberen und anschließend wieder auf den unteren Teil der Zahl. Hinauf, hinab, hinauf, hinab, zwei- bis dreimal. Nachdem Sie dies getan haben, schließen Sie entspannt die Augen und atmen behutsam, aber tief. Dann öffnen Sie die Augen wieder und wiederholen das gleiche mit der Zahl Zwei. Nachdem Sie sich den halben Monat auf diese Weise vorgenommen haben, gehen Sie weiter zu einem der kleingedruckten Monatsblöcke und beginnen von vorne; falls nötig, rücken Sie Ihren Stuhl ein bißchen näher an den Kalender.

Dieses Verfahren sollten Sie variieren, indem Sie manchmal den Blick horizontal hin- und herspringen lassen, von einer Seite der Zahl zur anderen, statt vertikal von oben nach unten. Im übrigen beschränken Sie sich nicht ausschließlich auf die Zahlen, arbeiten Sie auch mit Buchstaben – mit So, Mo, Di und den anderen Abkürzungen der Wochentage. Führen Sie die kleinen Blickverschiebungen vom oberen zum unteren Teil dieser Buchstaben durch, dann von einer Seite zur anderen und bei den breiteren und mehr rechteckigen Buchstaben diagonal von einer Ecke zur anderen. Buchstaben und Zahlen gehören zu den uns am besten vertrauten Gegenständen unserer Zivilisation, und sie gehören außerdem zu den Gegenständen, bei denen es sehr wichtig ist, daß wir sie scharf sehen. Es ist deshalb besonders wünschenswert, daß wir uns die kleinen Blickverschiebungen beim Betrachten dieser Zeichen aneignen. Das bewußte Üben dieser Blickbewegungen wird am Ende einen heilsamen Automatismus ergeben. Wann immer wir einen Buchstaben oder eine Zahl betrachten, werden wir unbewußt und automatisch diese kleinen Blickverschiebungen durchführen, die die Augen und das Gehirn zwingen, mit zentraler Fixation zu arbeiten. Auf diese Weise steigern wir unsere Sinneswahrnehmung und unser Erkennungsvermögen und damit unser Sehen, das Endergebnis dieser beiden Vorgänge. In den Kapiteln, die sich mit den geistigen Aspekten des Sehens befassen, werde ich einige Verfahren beschreiben, bei denen diese Technik der kleinsten Blickverschiebungen mit Übungen zur Entwicklung des Erinnerungsvermögens und der Vorstellungskraft kombiniert ist und dadurch noch wertvoller wird. Aber selbst in ihrer einfachen Form, wie ich sie in den vorangegangenen Abschnitten beschrieben habe, besitzt die Übung eine bemerkenswerte Wirkung. Sie werden stets darüber staunen, wie sich bei diesen Kalenderübungen Ihr Sehvermögen durch die Anwendung der kleinen Blickverschiebungen verbessert. Die Ziffer oder der Buchstabe, beim ersten Anblicken so verschwommen und unscharf, wird klar erkennbar, wenn Sie Ihre Aufmerksamkeit einige Male von seiner Spitze zur Basis oder von einer Seite zur anderen wandern lassen. Die Technik sollte auch ins tägliche Leben übertragen werden. Wenn Sie mit Buchstaben oder Zahlen konfrontiert werden, die Sie nicht klar erkennen können, versuchen Sie es mit den kleinen Blickverschiebungen – Sie werden sie sofort schärfer und deutlicher sehen.

Diese spezielle Art des Hin- und Herblickens ist einfach ein analytisches Betrachten in einem regelmäßigen Rhythmus. Eine regelmäßige rhythmische Bewegung ist immer entspannend, selbst wenn sie nur wenige Male wiederholt wird. Das ist der Grund dafür, warum kleinste »schwingende« Blickverschiebungen soviel zur Verbesserung des Sehvermögens beitragen. Unglücklicherweise kann man diese Art von schwingenden Blickbewegungen nicht bei allen Gegenständen anwenden. Bei so kleinen, klar begrenzten und vollständig vertrauten Gegenständen wie Ziffern oder Buchstaben ist der Blickschwung leicht durchzuführen. Wenn aber der Gegenstand groß, etwas fremd, nicht genau abgegrenzt oder in Bewegung ist, ist das nicht möglich, und zwar aus dem einfachen Grund, weil entweder keine bekannten und genau definierten Merkmale vorhanden sind, keine klar umrissenen Grenzen, zwischen denen man das wiederholte Hin- und Herblicken ausführen könnte, oder weil – wenn solche Merkmale und Grenzen vorhanden sind – das Feld, über das die Augen bei ihrer Bewegung zwischen diesen Punkten und Grenzen hinwegwandern, im Vergleich zu der gesamten Größe des Objekts so klein ist, daß eine bessere Kenntnis dieses Feldes nicht notwendigerweise auch eine bessere Kenntnis des Ganzen ergibt. Bei großen, unbestimmten und unvertrauten Gegenständen ist infolgedessen das schnelle analytische Betrachten ohne sich wiederholenden Rhythmus die beste Technik. Die Wirksamkeit dieses analytischen Betrachtens kann durch Zählen der hervorstechendsten Merkmale des Gegenstands verstärkt werden. Wenn sehr viele solche Merkmale vorhanden sind, versuchen Sie nicht, sie mit pedantischer Genauigkeit zu zählen. Es ist nicht wichtig, ihre genaue Anzahl zu kennen, sondern zu realisieren, daß viele solcher Merkmale existieren und zur Kenntnis genommen werden müssen. Zählen Sie also nur die ersten drei oder vier; lassen Sie dann Ihren Blick über den Rest hinweggleiten und schätzen Sie die Gesamtsumme, ohne sich darum zu kümmern, ob Ihre Vermutung richtig ist oder nicht. Ihr Ziel ist, besser zu sehen, und dieses Ziel wird dann erreicht sein, wenn die Augen und die Aufmerksamkeit durch das scheinbare Zählen dazu veranlaßt werden, ihre Aufgabe richtig zu erfüllen, nämlich kleinste schnelle Blickbewegungen auszuführen und so einen Akt des zentralen Fixierens an den anderen zu reihen.

Nachdem wir nun die Mittel kennengelernt haben, durch die die zentrale Fixation zur Gewohnheit und automatisch werden kann, wollen wir zum letzten Teil in dieser langen Reihe von Übungen schreiten und uns die Tatsache voll ins Bewußtsein bringen, daß wir wirklich gut nur einen ganz kleinen Teil dessen, was wir gerade anblicken, sehen können. Für viele, die die beschriebenen Übungen durchgeführt haben, wird keine Notwendigkeit zu diesem Schritt bestehen, aus dem guten Grund, daß sie sich dessen bereits bewußt sind. Man kann etwas kaum analytisch anschauen oder die kleinen Blickverschiebungen durchführen, ohne das Vorhandensein der zentralen Fixation zu bemerken.

Wer dieses Phänomen bis jetzt aber noch nicht bemerkt hat, kann nun ohne irgendein Risiko der Überanstrengung oder Überbeanspruchung folgendes tun, um sich selbst vom regelmäßigen Auftreten der zentralen Fixation zu überzeugen: Halten Sie in einer Entfernung von ungefähr sechzig Zentimetern beide Zeigefinger senkrecht vor Ihr Gesicht. Der Abstand der Finger voneinander sollte etwa vierzig Zentimeter betragen. Blicken Sie zuerst auf den rechten Zeigefinger. Sie werden ihn deutlicher sehen als den linken, der am äußersten Rand des Gesichtsfelds erscheint. Wenden Sie nun den Kopf nach links und konzentrieren Sie sich auf den linken Finger; Sie werden ihn sofort deutlicher sehen als den rechten. Nun verkürzen Sie den Abstand zwischen den beiden Fingern. Blicken Sie von einem zum anderen, wenn sie noch dreißig Zentimeter, wenn sie zehn Zentimeter, fünf Zentimeter, zwei Zentimeter voneinander entfernt sind, und zuletzt, wenn sie sich berühren. In jedem Fall wird der Finger, der von den Augen betrachtet wird und dem sich die Aufmerksamkeit zuwendet, deutlicher gesehen werden als der andere.

Wiederholen Sie das Ganze mit einem Buchstaben – sagen wir, einem großen E in einer Schlagzeile auf dem Titelblatt einer Zeitung. Widmen Sie Ihre Aufmerksamkeit zuerst dem oberen Balken des E und nehmen Sie zur Kenntnis, daß er deutlicher und schwärzer scheint als die anderen beiden Balken. Dann verschieben Sie Ihre Aufmerksamkeit zum unteren Balken und stellen fest, daß dieser nun der deutlichste von allen dreien ist. Das gleiche tun Sie mit dem mittleren Balken. Als nächstes wählen Sie ein kleineres E in einer weniger ins Auge springenden Überschrift und wiederholen das Ganze. Wenn die Augen ihre alte schlechte Gewohnheit des Starrens aufgegeben haben, werden Sie sogar bei kleineren Buchstaben einen wahrnehmbaren Unterschied in der Deutlichkeit zwischen den Balken feststellen, denen die Aufmerksamkeit zugewendet ist, und denen, die im Augenblick nicht beachtet werden. Mit der Zeit wird es Ihnen möglich, solche Unterschiede der Deutlichkeit sogar bei den verschiedenen Teilen eines kleinen Zwölfpunkt- oder Achtpunktbuchstabens zu beobachten. Je vollkommener das Sehvermögen ist, desto kleiner ist das Feld, das mit maximaler Deutlichkeit gesehen werden kann.

Um sich von der Tatsache der zentralen Fixation zu überzeugen, kann man auch den oben beschriebenen Vorgang umkehren und versuchen, alle Teile eines großen Buchstabens oder alle Gesichtszüge eines Freundes gleichzeitig deutlich zu sehen. Das Ergebnis wird ein fast augenblicklich eintretendes Gefühl der Überanstrengung und eine Verminderung des Sehvermögens sein. Man kann nicht ungestraft versuchen, etwas physisch und psychisch Unmögliches zu tun. Aber gerade das macht der Fehlsichtige ständig, indem er übereifrig die Welt um sich herum anstarrt. Wenn Sie sich diese Tatsache durch die genannten Experimente einmal klargemacht haben und auch die andere, ergänzende, daß gutes Sehen nur dann möglich ist, wenn Augen und Gehirn unzählige aufeinanderfolgende Akte der zentralen Fixation vollführen, werden Sie nie wieder in Versuchung kommen, zu starren, sich beim Sehen zu überanstrengen oder um jeden Preis etwas sehen zu wollen. Richtiges Sehen kann nicht durch Anstrengung erzwungen werden; es stellt sich von selbst bei denen ein, die gelernt haben, ihre Augen und ihren Verstand in einen Zustand wacher Passivität, in einen Zustand dynamischer Entspannung zu bringen.

13 Die psychologischen Aspekte des Sehvorgangs

Die Augen liefern uns die visuellen Sinneseindrücke, die den »Rohstoff« des Sehens ausmachen. Das Gehirn nimmt diesen Rohstoff auf und verarbeitet ihn zum fertigen Produkt – zum normalen Sehen von Gegenständen.

Wenn das Sehvermögen nicht normal ist, so kann dies verschiedene Ursachen haben, die zwei Hauptkategorien von Störungen, nämlich physischen und psychischen, angehören. Die Sehorgane, oder das mit ihnen verbundene Nervensystem, können bei einem Unfall verletzt oder von einer Krankheit befallen werden – dann ist die Versorgung mit den Rohstoffen des Sehens an der Quelle unterbrochen. Andererseits kann auch das Gehirn, das die rohen *sensa* deutet, in seiner Leistungsfähigkeit beeinträchtigt werden, und zwar aufgrund einer Vielzahl von psychischen Fehlreaktionen. Wenn dies geschieht, werden die Augen, die die Sinneseindrücke empfangen, ebenfalls in ihrer Leistungsfähigkeit behindert; denn die Psyche bildet zusammen mit dem Körper eine Einheit, und eine psychische Fehlfunktion bringt eine physische Fehlfunktion mit sich. Durch die Beeinträchtigung der physischen Funktion des Auges nimmt die Qualität des Rohstoffs, den es liefert, ab; dadurch wiederum wird die Aufgabe des Verstands, nämlich solches »Material« zu verarbeiten, erschwert.

Der schulmedizinisch ausgebildete Augenarzt begnügt sich damit, bei Menschen mit schlechtem Sehvermögen die Symptome durch »jene wertvollen Krücken«, nämlich Augengläser, zu überdecken. Diese wirken aber nur auf das Auge, das die Sinneseindrücke empfängt, und lassen den auswählenden, erkennenden und sehenden Verstand völlig außer acht. Das ist, als wollte man Hamlet ohne den Prinzen von Dänemark spielen. Es liegt einfach auf der Hand, daß jede vernünftige, jede wirklich ursächliche Behandlung der Fehlsichtigkeit den geistigen Aspekt des Sehens miteinbeziehen muß. In der von Dr. W. H. Bates und seinen Nachfolgern entwickelten Erziehungsmethode zum richtigen Sehen wird nicht nur den »Lieferanten des Rohstoffs« gebührende Achtung geschenkt, sondern auch dem »Hersteller des Endprodukts«.

Einige der psychologischen Faktoren, die den Verstand daran hindern können, seine Interpretation vorzunehmen, haben eng mit dem Vorgang des Erkennens und Sehens zu tun, andere nicht. Zur letzteren Kategorie gehören all die negativen Gefühle, die so oft Ursache sind von Funktionsstörungen und schließlich auch von organischen Krankheiten in allen Teilen des Körpers, einschließlich der Augen. Zu der ersteren Kategorie gehören gewisse negative Gefühle, die spezifisch mit dem Akt des Sehens in Zusammenhang stehen, und gewisse Störungen des Gedächtnisses und der Vorstellungskraft – Störungen, die die Leistungsfähigkeit des Verstands, *sensa* auszuwerten, schwächen.

Es würde den Rahmen dieses kleinen Buchs sprengen, die Behandlungsmethoden, durch die man negative Gefühle vermeiden oder loswerden kann, zu besprechen. Ich kann nur mit anderen Worten wiederholen, was ich im ersten Teil gesagt habe. Wenn das bewußte Ich übermäßig von Gefühlen wie Angst, Zorn, Sorge, Trauer, Neid und Ehrgeiz befallen wird, so haben Körper und Geist mit großer Wahrscheinlichkeit darunter zu leiden. Eine der wichtigsten und am häufigsten beeinträchtigten psychophysischen Funktionen ist das Sehen. Die negativen Gefühle stören die Sehfunktionen teils durch eine direkte Einwirkung auf das Nervensystem, auf die Drüsen und die Blutzirkulation, teils durch eine Senkung der Leistungsfähigkeit des Gehirns. Es stimmt buchstäblich, daß man »blind vor Wut« werden kann; daß Angst einen »schwarzsehen« oder einem »die Welt vor den Augen verschwimmen« lassen kann; daß Sorge jemanden so »betäuben« kann, daß er nicht mehr fähig ist, richtig zu sehen oder zu hören, und daß sie deshalb häufig Ursache für schwere Unfälle ist. Auch sind die Auswirkungen solcher negativen Gefühle nicht immer nur vorübergehend und zeitlich beschränkt. Wenn sie stark genug sind und genügend lange andauern, können Verdruß, Liebeskummer und Ehrgeiz bei ihren Opfern ernsthafte organische Störungen hervorrufen – zum Beispiel Magengeschwüre, Tuberkulose und Krankheiten der Herzkranzgefäße. Sie können auch bleibende Funktionsstörungen der Sehorgane hervorrufen, der geistigen und der körperlichen – Funktionsstörungen, die sich durch Überanstrengung, nervöse Muskelverspannungen und Brechungsfehler äußern. Wer gut sehen möchte, sollte alles menschenmögliche tun, um solche verderblichen negativen Gefühle zu vermeiden oder loszuwerden, und – bis ihm dies gelingt – die Kunst des Sehens erlernen; dadurch kann er die verheerenden Auswirkungen solcher Gefühle auf Augen und Gehirn vollständig oder teilweise unterbinden.

Dies scheint mir alles zu sein, was man an dieser Stelle über die psychischen Hindernisse beim Sehen, die nicht unmittelbar mit dem Sehvorgang selbst zusammenhängen, sinnvollerweise sagen kann. Wegen einer umfassenden Erörterung der negativen Gefühle und ihrer Behandlung wende man sich an die Psychiater, die Moralisten und an die Verfasser religiöser Schriften, die sich mit Askese und Mystik beschäftigen. In dieser kurzen Einführung in die Kunst des Sehens kann ich das Problem nur am Rande erwähnen.

Wir müssen nun jene psychischen Hindernisse betrachten, die eng mit dem eigentlichen Sehvorgang verknüpft sind. Gewisse negative Gefühle, die gewöhnlich bei fehlsichtigen Leuten vorkommen, wurden schon erörtert. So habe ich zum Beispiel die Furcht vor dem Licht beschrieben und auch die Art und Weise, wie man sich von ihr befreien kann. Ich habe ebenfalls jenen leidenschaftlichen Wunsch, jenes ängstliche Bestreben, zu viel zu gut sehen zu wollen, erwähnt, das uns dazu verleitet, die Aufmerksamkeit falsch einzusetzen, und das ein psychisches und physisches Starren bewirkt; ich habe ausführlich darüber berichtet, wie man diese schlechten Gewohnheiten verändern und die für sie verantwortlichen unerwünschten Gefühle loswerden kann.

Wir haben uns nun einer anderen Form der Furcht zuzuwenden, die sich bei fehlsichtigen Menschen auf den Sehvorgang selbst bezieht und die bis zu einem gewissen Grad für visuelle Funktionsstörungen verantwortlich ist. Ich meine die Furcht, nicht richtig sehen zu können.

Verfolgen wir einmal die Entstehungsgeschichte dieser Furcht. In der frühen Kindheit erlernen wir unbewußt die Kunst des normalen und natürlichen Sehens. Später verlieren wir wegen einer Krankheit oder – häufiger – wegen einer psychischen Überbeanspruchung unsere guten Sehgewohnheiten. Die normale und natürliche Funktionsweise wird von einer abnormen und unnatürlichen abgelöst; das Gehirn verliert seine Fähigkeit zu interpretieren, die Struktur des Auges ist deformiert, und es kommt zwangsläufig zu einem Absinken des Sehvermögens. Schlechtes Sehvermögen ist in den meisten Fällen Anlaß für gewisse ständige Befürchtungen. Wer daran gewöhnt ist, schlecht zu sehen, erwartet, bei einer nächsten Gelegenheit wieder schlecht zu sehen. Im Bewußtsein vieler Betroffener steigert sich diese ängstliche Vorahnung zu der festen pessimistischen Überzeugung, daß für sie normales Sehen nicht möglich ist.

Eine solche Haltung wirkt lähmend auf Augen und Gehirn. Jeder neuen Sehsituation begegnen diese Menschen mit der Angst, sie könnten nichts sehen, oder sie sind schon im voraus davon überzeugt, daß sie nichts sehen werden. Es ist deshalb nicht verwunderlich, daß sie wirklich nichts sehen. Wenn der Glaube den Menschen befähigt, Berge zu versetzen, so kann er ihn auch daran hindern, einen Strohhalm aufzuheben.

Beim Sehen, wie bei allen anderen geistigen und psychophysischen Tätigkeiten, ist es wesentlich, daß wir, um gute Arbeit zu leisten, eine Haltung des Vertrauens und der Zuversicht einnehmen, die mit Gleichmut gekoppelt ist – Vertrauen in unsere Fähigkeiten und Gleichmut gegenüber einem möglichen Versagen. Wir müssen das sichere Gefühl haben, daß wir eines Tages zum Erfolg kommen, wenn wir nur die geeigneten Mittel wählen und genügend Geduld aufbringen; und wir dürfen nicht enttäuscht oder verärgert sein, wenn uns dieses eine Mal der Erfolg versagt bleibt.

Zuversicht ohne Gleichmut kann fast ebenso fatal sein wie der vollständige Mangel an Zuversicht; denn wenn wir von unserem Gelingen im voraus überzeugt sind und bei jedem Mißlingen verwirrt und gekränkt reagieren, dann ist diese Zuversicht nur eine Quelle negativer Gefühle, die ihrerseits die Wahrscheinlichkeit des Versagens erhöht.

Die richtige Haltung, die man einem Menschen mit schwachem Sehvermögen nahelegen möchte, läßt sich etwa so ausdrücken: »Ich weiß theoretisch, daß ein mangelhaftes Sehvermögen verbessert werden kann. Ich bin sicher, daß ich, wenn ich die Kunst des Sehens erlerne, mein eigenes mangelhaftes Sehvermögen verbessern kann. Wenn ich jetzt etwas ansehe, so übe ich mich in der Kunst des Sehens und werde wahrscheinlich besser sehen als früher. Wenn ich aber nicht so gut sehe, wie ich hoffe, werde ich nicht unglücklich oder bekümmert sein, sondern weiter üben, bis sich die Verbesserung des Sehvermögens auch bei mir einstellt.«

14 Gedächtnis und Vorstellungskraft

Wie ich in einem früheren Kapitel gezeigt habe, hängt die Fähigkeit, etwas zu erkennen, von der Anzahl, der Art und der Verfügbarkeit früherer Erfahrungen ab. Frühere Erfahrungen sind uns aber nur über die Erinnerung zugänglich. Deshalb kann man mit Recht behaupten, die Fähigkeit, einen Gegenstand als solchen zu erkennen, sei an das Gedächtnis gebunden.

Eng mit dem Gedächtnis hängt die Vorstellungskraft zusammen, jene Fähigkeit, Erinnerungen neu zu kombinieren und neue geistige Bilder zu schaffen, die sich von allem früher Erlebten unterscheiden. Die Fähigkeit, *sensa* zu interpretieren, wird sowohl durch das Gedächtnis als auch durch die Vorstellungskraft beeinflußt.

Wie sehr das Wahrnehmungsvermögen und das Sehen von Gedächtnis und Vorstellungskraft abhängig sind, lehrt uns die tägliche Erfahrung. Dinge, die uns gut vertraut sind, sehen wir besser als solche, an die wir keinerlei Erinnerung besitzen. Und wenn aufgrund von emotionalem Streß oder Aufregung unsere Vorstellungskraft stärker als gewöhnlich ist, kann es geschehen, daß wir *sensa* als die Gegenstände interpretieren, mit denen wir uns in Gedanken gerade beschäftigen, statt sie als die wirklich in der Erscheinungswelt vorhandenen Gegenstände zu erkennen.

Eine alte Näherin, die ohne Brille nicht lesen kann, vermag

ihren Faden mit bloßem Auge einzufädeln. Warum? Weil sie mit Nadeln besser vertraut ist als mit gedruckten Buchstaben.

Ein normalsichtiger Mensch stößt in einem Buch auf ein ihm fremdes, vielsilbiges technisches Wort oder auf einen Satz in einer Sprache, die er nicht kennt. Die Buchstaben dieser Wörter sind zwar genau die gleichen wie jene, aus denen der Rest des Buches besteht; und doch findet dieser Mensch es bedeutend schwieriger, sie zu sehen. Warum? Weil der Rest des Buches in seiner Muttersprache geschrieben ist, während es sich bei den für ihn nicht lesbaren Wörtern um, sagen wir, Russisch oder um griechisch-lateinische Fachausdrücke handelt.

Jemand, der den ganzen Tag ohne große Ermüdung der Augen im Büro arbeiten kann, ist nach einem einstündigen Museumsbesuch erschöpft und kommt mit heftigen Kopfschmerzen nach Hause. Warum? Weil er im Büro einer regelmäßigen Routine folgt und täglich die gleichen Wörter und Zahlen sieht; im Museum aber ist alles neu, fremdartig und außergewöhnlich.

Oder nehmen wir den Fall der Dame, die sich vor Schlangen fürchtet und die irrtümlich etwas für eine riesige Viper hält, was für jeden anderen ein Stück von einem Gummischlauch ist. Gemessen an der Snellen-Sehprobentafel ist ihr Sehvermögen völlig normal. Warum also sieht sie etwas, was nicht da ist? Weil sie sich in ihrer Vorstellung aus alten Erinnerungen an Schlangen ein beunruhigendes Bild von diesen Tieren konstruiert hat und weil ihr Verstand unter dem Einfluß der Vorstellungskraft die vom Gummischlauch ausgehenden *sensa* fehldeutete, so daß die Dame wirklich eine Viper »sah«.

Solchen Beispielen könnten unendlich viele weitere hinzugefügt werden; sie lassen keinen Zweifel daran, daß das Erkennen und deshalb auch das Sehen von Dingen vom Gedächtnis und, in geringerem Ausmaß, von der Vorstellungskraft abhängig ist. Wir sehen die Dinge am besten, an die wir uns direkt oder indirekt gut erinnern können. Und je genauer diese Erinnerungen sind, je grundlegender und detaillierter die durch sie vermittelte Kenntnis des Gegenstandes ist, desto besser werden wir (bei sonst gleichbleibenden Bedingungen) diesen Gegenstand sehen. Tatsächlich kann das Sehvermögen sogar dann besser sein, wenn die Bedingungen nicht gleichgeblieben sind. So kann der ältere, im Mikroskopieren erfahrene Forscher an der Snellen-Sehprobentafel ein schlechteres Sehvermögen zeigen als der im ersten Jahr der Ausbildung stehende Student, den er gerade unterrichtet. Er wird aber, wenn er in das Mikroskop blickt, dank seiner genauen Erinnerung an ähnliche Objekte das Präparat viel deutlicher sehen als der Neuling.

Die Tatsache, daß Sehen und Erkennen zu einem großen Teil von früheren Erfahrungen abhängig sind, die vom Gedächtnis wieder abgerufen werden, ist seit Jahrhunderten bekannt. Aber soviel ich weiß, war Dr. W. H. Bates der erste, der sich über den Nutzen und die therapeutischen Möglichkeiten dieser Tatsache ernsthaft Gedanken gemacht hat. Er hat als erster sich die Frage gestellt: »Wie kann diese Abhängigkeit des Sehens und Erkennens vom Gedächtnis und, in geringerem Ausmaß, von der Vorstellungskraft dazu genützt werden, das Sehvermögen der Menschen zu verbessern?« Nachdem er einmal diese Frage gestellt hatte, ruhte er nicht, bis er eine Reihe von einfachen und praktischen Antworten darauf gefunden hatte. Seine Schüler haben viele Jahre lang am selben Problem gearbeitet und ebenfalls Übungsmethoden zur Verbesserung des Sehvermögens entwickelt, die das Gedächtnis und die Vorstellungskraft miteinbeziehen. Über einige der wirksamsten Verfahren dieser Art werde ich hier berichten. Zuerst aber noch ein paar Worte über gewisse signifikante Kennzeichen jenes ziemlich mysteriösen geistigen Vorgangs, den wir Erinnerung nennen.

Die vielleicht wichtigste Tatsache im Zusammenhang mit dem Gedächtnis und seinen Beziehungen zum Sehen und Erkennen ist die, daß das Gedächtnis bei Überanstrengung nicht gut funktioniert. Jedermann hat schon folgende Erfahrung gemacht: Man vergißt einen Namen, bemüht sich krampfhaft, sich an ihn zu erinnern, und versagt schmählich. Wenn man klug ist, gibt man den Versuch auf, sich an den Namen zu erinnern, und versetzt sich in einen Zustand wacher Passivität; jetzt besteht eine gute Chance, daß der Name ganz von selbst wieder aus dem Unterbewußtsein auftaucht. Das Gedächtnis funktioniert am besten, so scheint es, wenn sich das Gehirn in einem Zustand dynamischer Entspannung befindet.

Die meisten Menschen wissen aus Erfahrung, daß eine Beziehung zwischen gutem Gedächtnis und dynamischer Entspannung des Gehirns besteht – und die dynamische Entspannung des Gehirns bringt immer auch eine Entspannung des ganzen Körpers mit sich.

Viele haben diese Tatsache nie so präzise für sich selbst formuliert; aber sie wissen unbewußt darum, oder, genauer gesagt, sie handeln so, als ob dieses Wissen in ihrem Unterbewußtsein vorhanden wäre. Bei dem Versuch, sich an etwas zu erinnern, »lassen« sie instinktiv »los«, denn sie haben bei unzähligen Erinnerungsvorgängen gelernt, daß sich dieses »Loslassen« sehr günstig auf das Gedächtnis auswirkt. Nun bleibt diese Gewohnheit des »Loslassens« in vielen Fällen sogar dann erhalten, wenn bei anderen Funktionen wie zum Beispiel dem Sehen psychische und physische Spannungen auftreten. Infolgedessen versetzen sich diese Menschen, wenn sie sich an etwas erinnern wollen, unbewußt automatisch in jenen Zustand dynamischer Entspannung, der sich nicht nur auf das Gedächtnis, sondern auch auf das Sehvermögen günstig auswirkt. Dies scheint die Tatsache zu erklären (die zuerst, soviel ich weiß, von Dr. Bates beobachtet worden ist, die aber leicht von jedermann, der bereit ist, die notwendigen Voraussetzungen zu erfüllen, an sich selbst beobachtet werden kann), daß der einfache Vorgang, sich an etwas klar und deutlich zu erinnern, eine sofortige Verbesserung des Sehvermögens mit sich bringt.

Bei einigen sehschwachen Menschen ist die geistige und körperliche Anspannung so extrem, daß sie die Gewohnheit des »Loslassens« selbst beim Erinnerungsvorgang verloren haben. Deshalb können sie sich nur mit den größten Schwierigkeiten an etwas erinnern. Erfahrene Lehrer der Bates-Methode haben mir von Schülern erzählt, die unfähig waren, sich zehn Sekunden später noch daran zu erinnern, ob sie gerade Buchstaben, Zahlen oder Bilder betrachtet hatten. Sobald Augen und Nervensystem durch Augenzudecken, Sonnenbestrahlung, Körperschwünge und Blickverschiebeübungen etwas entspannt wurden, kehrte das Erinnerungsvermögen zurück. Das mangelhafte Sehvermögen und die Imbezilität, die sich aus der Unfähigkeit, sich an etwas zu erinnern, ergab, beruhte bei diesen Unglücklichen auf der gleichen fundamentalen Ursache – auf einer fehlerhaften Funktion, die mit einer großen psychischen und physischen Anspannung verbunden war.

Glücklicherweise sind solche Fälle selten; und die Mehrzahl derer, die an einem durch geistige und körperliche Anspannung verursachten oder verschlimmerten Sehfehler leiden, hat sich immer noch die gute, durch die alltägliche Erfahrung unbewußt erworbene Gewohnheit erhalten, »loszulassen«, wann immer sie sich an etwas erinnern will. Das ist der Grund, warum sich bei den meisten Menschen das Gedächtnis als Hilfsmittel zur Entspannung von Körper und Geist, und dadurch zur Verbesserung des Sehvermögens, verwenden läßt. Nehmen wir an, ein Fehlsichtiger betrachtet einen Buchstaben und sieht ihn nicht deutlich. Wenn er seine Augen schließt, »losläßt« und an etwas, an das er sich leicht erinnern kann, denkt – sich klar und deutlich daran erinnert –, wird er entdecken, wenn er seine Augen wieder öffnet, daß sein Sehvermögen merklich besser geworden ist.

Weil es unmöglich ist, sich ohne dieses »Loslassen« an etwas genau zu erinnern, folgt auf jeden Erinnerungsvorgang an einen Gegenstand oder ein Ereignis eine Sehverbesserung, selbst wenn das Erinnerungsbild in keinem Zusammenhang mit dem Gegenstand steht, den man gerade sehen möchte. Wenn man sich aber an diesen Gegenstand selbst oder an etwas ähnliches, früher Gesehenes erinnert, dann wird die Wirkung dieser Erinnerung auf das Sehvermögen doppelt so gut sein. Denn sie führt nicht nur zu einer wohltuenden Entspannung von Körper und Geist, sondern macht uns auch besser mit dem betrachteten Objekt vertraut. Wir sehen die Dinge am deutlichsten, die uns am besten vertraut sind. Infolgedessen wird jedes Verfahren, das uns mit dem Gegenstand, den wir zu sehen versuchen, besser vertraut macht, es uns erleichtern, ihn auch wirklich zu sehen. Und jeder Erinnerungsvorgang an dieses oder ein ähnliches Objekt macht uns diesen Gegenstand vertrauter und läßt uns ihn besser sehen. Aus diesem Grund befassen sich mehrere der wichtigsten Übungen zur Verbesserung des Gedächtnisses und der visuellen Vorstellungskraft mit der genauen Erinnerung oder Vergegenwärtigung von Buchstaben und Zahlen, die wir so häufig sehen, sei es aus der Nähe oder sei es von weitem.

Nach diesen einleitenden Bemerkungen werden die verschiedenen nun folgenden Übungen für den Leser – so hoffe ich – leicht verständlich sein.

Das Gedächtnis als Hilfe für das Sehen

Der Wert des Verfahrens, das ich analytisches Betrachten genannt habe, kann erhöht werden durch absichtlich hervorgerufene Erinnerungen. Betrachten Sie einen Gegenstand – wie in einem früheren Kapitel beschrieben –, indem Sie Ihre Aufmerksamkeit schnell von Punkt zu Punkt wandern lassen, mit dem Blick den Konturen folgen und die hervorstechendsten Merkmale zählen. Dann schließen Sie die Augen, »lassen los« und versuchen, ein möglichst klares Erinnerungsbild dessen heraufzubeschwören, was Sie gerade gesehen haben. Öffnen Sie die Augen wieder, vergleichen Sie dieses Bild mit der Wirklichkeit und wiederholen Sie den Vorgang des analytischen Betrachtens. Schließen Sie die Augen und lassen Sie das Erinnerungsbild dessen, was Sie gesehen haben, erneut entstehen. Nach einigen Wiederholungen wird sowohl das Erinnerungsbild deutlicher und genauer sein, als auch der visuelle Eindruck, den Sie empfangen, wenn Ihre Augen geöffnet sind.

Es ist gut, dieses analytische Sehen und Sicherinnern mit Gegenständen des Alltags durchzuführen, wie zum Beispiel mit Möbeln des Wohn- oder Arbeitszimmers, mit Schaufenstern und Plakatwänden, mit Bäumen und Häusern der Straßen, die man regelmäßig entlanggeht. Das wird drei gute Ergebnisse zur Folge haben: Die Gewohnheit des Starrens wird aufgelöst und die zentrale Fixation gefördert; das Gehirn wird gezwungen, sich in einen Zustand wacher Passivität, in dynamische Entspannung zu versetzen, die allein zu genauer Erinnerung und damit zu klarem Sehen führt; und man lernt die

Gegenstände, die man am häufigsten vor Augen hat, besser kennen und wird vertrauter mit ihnen, was wiederum die Aufgabe, sie zu sehen, stark erleichtert.

Dies ist aber noch nicht alles. Das oben skizzierte Verfahren ist auch insofern günstig, als es die Koordination zwischen dem Gehirn und den Sinnesorganen fördert. Zu viele Menschen verbringen zuviel Zeit damit, etwas anzuschauen und gleichzeitig über etwas anderes nachzudenken – sie sehen gerade genug, um nicht gegen einen Baum oder vor einen Bus zu rennen; sie sind so in ihre Tagträume versunken, daß sie, danach gefragt, kaum sagen könnten, was sie gerade gesehen haben, einfach weil sie, obwohl viele Sinneseindrücke auf sie eingedrungen sind, nichts bewußt wahrgenommen haben. Diese mangelnde Übereinstimmung von Augen und Gehirn ist ein häufiger Anlaß für Sehfehler, besonders wenn der Tagträumer, wie es oft der Fall ist, mit offenen Augen dasitzt und, ohne zu blinzeln, auf einen Punkt starrt. Wenn Sie im Wachzustand unbedingt träumen wollen, dann schließen Sie die Augen und folgen Sie bewußt mit Ihrem inneren Blick den imaginären Ereignissen, bei denen Ihre Wünsche in Erfüllung gehen. Und wenn Sie in einen logischen Gedankengang vertieft sind, dann starren Sie nicht auf einen Gegenstand, der mit dem von Ihnen überdachten Problem nichts zu tun hat. Wenn Sie die Augen offen halten, dann lassen Sie sie etwas tun, was in Beziehung zu dem Denkprozeß steht, der in Ihrem Kopf abläuft. Machen Sie zum Beispiel Notizen, die Sie lesen können, oder zeichnen Sie Diagramme, die Sie studieren können. Bemühen Sie sich, die Augen nicht zu immobilisieren, selbst wenn sie geschlossen sind – bei starker geistiger Konzentration ist diese Versuchung immer sehr groß. Lassen Sie deshalb Ihr inneres Auge über eingebildete Wörter schweifen, über Diagramme oder andere Formen, die in Beziehung zu Ihrem Gedankengang stehen. Ihr Ziel sollte immer sein, eine Dissoziation zwischen Gehirn und Sinnesorgan zu verhindern. Machen Sie es sich zum Prinzip, zu sehen, wenn Ihre Augen offen sind, und das Gesehene bewußt wahrzunehmen. Wenn Sie jedoch nicht sehen, sondern träumen oder denken wollen, sollten Sie prinzipiell die Augen mit Ihren Träumen oder Ihren Gedanken in Verbindung bringen. Wenn

Sie dem Gehirn erlauben, den einen Weg zu gehen, und den Augen, einen anderen einzuschlagen, dann riskieren Sie, Ihr Sehvermögen zu schädigen; denn Sehen ist das Ergebnis einer Zusammenarbeit zwischen den Sinnesorganen und der unterscheidenden und erkennenden Intelligenz.

Wie man das Buchstabengedächtnis verbessert

Das Lesen ist heute zu einer der Hauptbeschäftigungen der zivilisierten Menschheit geworden, was sein Gutes wie sein Schlechtes hat. Wer nicht fähig ist, mühelos etwas zu lesen, sei es von nahem oder von weitem, ist in der heutigen Welt schwer behindert. Die Kunst des Lesens wird ausführlich in einem späteren Kapitel dieses Buches besprochen. Hier werde ich beschreiben, wie man die Erinnerungs- und Vorstellungskraft dazu verwenden kann, jene grundlegenden Bestandteile aller Literatur und Wissenschaft, nämlich die sechsundzwanzig Buchstaben des Alphabets und die zehn Ziffern, besser zu sehen.

Lehrer, die Augenkranken die Kunst des Sehens beibrachten, entdeckten eine merkwürdige Tatsache: Sehr viele Leute besitzen kein klares geistiges Bild von den Buchstaben des Alphabets. Die Form der Großbuchstaben ist zwar jedermann vertraut – vielleicht, weil wir als Kinder die Kunst des Lesens zunächst an Großbuchstaben erlernen. Die Form der kleinen Buchstaben ist aber vielen Leuten, obwohl sie sie täglich einige hundert Male sehen, so wenig präsent, daß sie es schwierig finden, sie exakt wiederzugeben oder einen bestimmten Buchstaben aufgrund seiner Beschreibung zu erkennen. Diese weitverbreitete Unkenntnis der Gestalt von Buchstaben gibt beredtes Zeugnis von der Dissoziation zwischen Augen und Gehirn, die in den vorangegangenen Abschnitten beschrieben wurde.

Wenn wir etwas lesen, tun wir dies mit verbissener Zielstrebigkeit; dadurch verletzen wir nicht nur die psychophysischen Gesetze, deren Befolgung uns die größte Effektivität verleihen würde, sondern wir beachten auch nicht die Buchstaben des Alphabets, auf denen der ganze Vorgang des Lesens beruht. Wir können aber erst dann eine Verbesserung unserer Lesefähigkeit erwarten, wenn wir uns mit den Buchstaben vollkommen vertraut gemacht haben. Auch hier geht es um die Kombination von analytischem Betrachten und Sicherinnern.

Sehen Sie sich einen Buchstaben an, und zwar nicht mit starrem Blick, sondern entspannt und indem Sie Ihre Aufmerksamkeit schnell von einem Punkt zum nächsten wandern lassen. Schließen Sie die Augen, »lassen Sie los« und rufen Sie sich das Bild ins Gedächtnis, das Sie gesehen haben. Öffnen Sie die Augen wieder und prüfen Sie die Genauigkeit Ihrer Erinnerung. Wiederholen Sie das Ganze, bis Ihr Erinnerungsbild genau mit der Wirklichkeit übereinstimmt, bis es klar und deutlich geworden ist. Tun Sie dasselbe mit allen anderen Buchstaben – und natürlich auch mit allen Ziffern. Wiederholen Sie die Übung gelegentlich, selbst wenn Sie der Meinung sind, alle Buchstaben genau zu kennen. Das Erinnerungsvermögen läßt sich ständig weiterentwickeln; außerdem bringt Ihnen die Erinnerungstätigkeit Entspannung, und diese wird, zusammen mit der verbesserten Kenntnis der Buchstaben durch ein verbessertes Gedächtnis, zur Stärkung Ihres Sehvermögens beitragen.

Wenn man Buchstaben in der Absicht betrachtet, sich mit ihren Formen vertraut zu machen, so empfiehlt es sich, nicht nur den schwarz gedruckten Linien, sondern vor allem dem von den Buchstaben umschlossenen und sie umgebenden Hintergrund Beachtung zu schenken. Diese weißen Felder, die die Buchstaben und Zahlen umgeben oder von ihnen umschlossen sind, besitzen merkwürdige, auffallende Formen, deren Studium unterhaltsam ist und an die man sich wegen des Interesses, das sie hervorrufen, leicht erinnern kann. Gleichzeitig besteht bei der Betrachtung des weißen Hintergrunds viel weniger die Gefahr, sich geistig zu verkrampfen, als bei der Betrachtung der schwarzen Figuren auf diesem Hintergrund. Es ist oft leichter, einen Buchstaben zu sehen, wenn man ihn als Unterbrechung auf der weißen Fläche des Papiers betrachtet, als wenn man ihn ohne bewußte Beziehung zum Hintergrund, lediglich als ein Muster von geraden und gebogenen schwarzen Linien sieht.

Die Methode, sich durch analytisches Betrachten und Erinnern mit den Buchstaben vertraut zu machen, kann durch eine

Übung, die die Vorstellungskraft systematisch miteinbezieht, vorteilhaft ergänzt werden. Untersuchen Sie wie vorher einen Buchstaben, indem Sie die Formen des Hintergrunds studieren. Dann schließen Sie die Augen, »lassen los«, erinnern sich an den Buchstaben und stellen sich absichtlich vor, der Hintergrund sei weißer, als Sie ihn in Wirklichkeit gesehen haben, so weiß wie Schnee oder wie die von der Sonne angestrahlten Wolken oder wie Porzellan.

Öffnen Sie die Augen wieder und betrachten Sie den Buchstaben noch einmal, indem Sie wie vorher den Blick von einer Form des Hintergrunds zur anderen bewegen und versuchen, diese Formen so weiß zu sehen, wie Sie sie sich mit geschlossenen Augen vorgestellt haben. Nach einer Weile werden Sie entdecken, daß Sie diese wohltuende Illusion ohne Schwierigkeiten hervorrufen können. Wenn Ihnen das gut gelingt, dann wird das Schwarz der Druckerschwärze durch den Kontrast noch schwärzer erscheinen, und Sie werden eine deutliche Sehverbesserung feststellen.

Ab und zu können Sie Ihre Einbildungskraft auf die gleiche Weise auch auf die Druckerschwärze anwenden. Setzen Sie sich vor Ihren Wandkalender und konzentrieren Sie sich zuerst auf den oberen, dann auf den unteren Teil einer Zahl oder eines Buchstabens (oder zuerst auf die linke, dann auf die rechte Seite). Nach einigen Wiederholungen schließen Sie die Augen, »lassen los« und tun dasselbe in Ihrer Vorstellung. Bringen Sie dann, immer noch in der Phantasie, je zwei schwärzere Punkte am oberen und unteren oder rechten und linken Rand der Zahl an. Wenn es Ihnen hilft, können Sie sich auch vorstellen, daß Sie diese Punkte mit einem feinen Tuschpinsel setzen.

Verschieben Sie nun Ihren inneren Blick mehrmals von einem dieser schwärzeren Punkte zum anderen; dann öffnen Sie die Augen und versuchen sich die gleichen schwärzeren Punkte auch am oberen und unteren Ende oder rechts oder links der wirklichen Zahl vorzustellen. Das wird Ihnen keine Schwierigkeiten bereiten, weil Sie dank der zentralen Fixation tatsächlich jenen Teil der Zahl oder des Buchstabens, dem Sie sich zuwenden, deutlicher sehen als den Rest. Aber stellen Sie sich vor, die Punkte seien sogar noch schwärzer, als dies durch die zentrale Fixation schon gewährleistet ist. Wenn Ihnen dies gelingt, wird die ganze Zahl schwärzer erscheinen und deshalb besser zu sehen sein als zuvor und Sie werden sich bei späterer Gelegenheit deutlicher an sie erinnern können.

Diese zwei Verfahren – erst in der Vorstellung, dann in der Wirklichkeit den Blick von einer scheinbar weißeren Stelle zu einer anderen scheinbar weißeren wandern zu lassen und von einem schwärzeren Punkt zu einem anderen am entgegengesetzten Ende des Buchstabens – tragen besonders viel zur Verbesserung des Sehvermögens bei. Sie sollten (möglichst zusammen mit Augenzudecken und Sonnenbestrahlung) immer dann angewandt werden, wenn die Schrift in einem Buch oder auf einem entfernteren Plakat oder Anschlagbrett zu verschwimmen beginnt.

Gewisse andere, mit der Vorstellungskraft arbeitende Methoden haben sich für die visuelle Schulung ebenfalls als wertvoll erwiesen. Die folgenden drei ähneln stark den Übungen mit den kleinsten Blickverschiebungen – tatsächlich handelt es sich um kleinste Blickverschiebungen, aber um solche, die ausschließlich in der Vorstellung ausgeführt werden.

Stellen Sie sich vor, Sie sitzen an einem Schreibtisch und haben einen dicken weißen Notizblock vor sich liegen. Stellen Sie sich weiter vor, Sie nehmen eine Feder oder einen feinen Malpinsel, tauchen ihn in Tusche und malen in die Mitte des ersten Blatts einen runden schwarzen Punkt. Nun konzentrieren Sie sich auf den weißen Hintergrund unmittelbar rechts, dann auf denjenigen unmittelbar links des Punkts. Dann wiederholen Sie das Ganze, indem Sie Ihren Blick rhythmisch von einer Seite zur anderen verschieben. Wie in der Wirklichkeit wird sich der imaginäre Punkt scheinbar nach links bewegen, wenn Sie Ihren Blick nach rechts verschieben, und nach rechts, wenn Sie Ihre Aufmerksamkeit auf die linke Seite wandern lassen.

Wenn Sie wollen, können Sie diese Übung mit einem Punkt folgendermaßen abwandeln: Sie malen auf einem anderen imaginären Papier zwei etwa zehn Zentimeter voneinander entfernte Punkte und dazwischen, aber etwa zweieinhalb Zentimeter nach unten versetzt, einen Kreis von ca. einem Zentimeter Durchmesser. Stellen Sie sich diesen Kreis sehr schwarz vor und den von ihm umschlossenen Raum sehr weiß. Dann blicken Sie mit Ihrem inneren Auge vom rechten zum linken Punkt und wiederholen diese Bewegung rhythmisch. Der Kreis wird sich scheinbar stets entgegengesetzt zur Blickrichtung bewegen.

Dann nehmen Sie – in Ihrer Phantasie – ein anderes Blatt Papier und zeichnen darauf einen riesigen Doppelpunkt, der aus zwei großen Punkten im Abstand von etwa einem Zentimeter besteht; einen Zentimeter rechts davon malen Sie einen Strichpunkt gleicher Größe. Nun lassen Sie Ihre Aufmerksamkeit vom oberen Punkt des Doppelpunkts zum oberen Punkt des Semikolons wandern; dann nach unten zum Komma des Semikolons; nach links zum unteren Punkt des Doppelpunkts und von dort wieder zum oberen Punkt. Wiederholen Sie diese rhythmischen Blickverschiebungen entlang dem aus diesen drei Punkten und dem Komma bestehenden Quadrat. Wenn Ihr geistiges Auge nach rechts wandert, wird die Punktgruppe eine scheinbare Bewegung nach links machen; wenn sich Ihre Aufmerksamkeit nach unten verschiebt, wird sich die Gruppe scheinbar nach oben bewegen. Wenn die Aufmerksamkeit sich nach links wendet, wird die scheinbare Bewegung nach rechts gerichtet sein; und wenn sie sich nach oben zu Ihrem Ausgangspunkt bewegt, werden sich die Punkte scheinbar nach unten bewegen.

Diese drei Verfahren verbinden die Vorteile der kleinsten Blickverschiebungen mit denen der Vorstellungsübungen. Das Gehirn muß sich genügend entspannen, um die Erinnerungsbilder der Satzzeichen entstehen zu lassen und sie in einer einfachen Anordnung zu gruppieren, während die Aufmerksamkeit (und infolgedessen auch die Augen selbst) dazu gebracht wird, die für das Sehen sehr günstigen kleinsten schwingenden Blickbewegungen auszuführen – Blickbewegungen, die in der letzten der drei beschriebenen Übungen zu einer rhythmischen Form von analytischem Betrachten werden.

Die folgende Übung wurde von Dr. R. Arnau, einem spanischen Schüler Dr. Bates', erdacht. Er hat ein Buch und verschiedene Artikel über die Kunst des Sehens geschrieben.

Es handelt sich um eine Art geistige Blickverschiebeübung mit der Besonderheit, daß sie den physischen Naheinstellungsmechanismus des Auges auf eine Art und Weise beansprucht, wie dies bei den gewöhnlichen Blickverschiebeübungen nicht der Fall ist.

Stellen Sie sich vor, Sie hielten zwischen Daumen und Zeigefinger einen Ring aus Gummi oder Draht, der genügend stark ist, um seine runde Form von selbst zu erhalten, der aber gleichzeitig auch elastisch genug ist, um die Form einer Ellipse anzunehmen, wenn man ihn zusammendrückt. Schließen Sie die Augen und betrachten Sie diesen imaginären Ring, indem Sie mit Ihrem inneren Auge seiner Form rundherum folgen. Dann drücken Sie den Ring in der Vorstellung mit Ihrer Hand auf beiden Seiten leicht zusammen, so daß er sich zu einer senkrecht gestellten Ellipse verformt. Betrachten Sie diese Ellipse einen Moment und lockern Sie dann den Druck Ihrer Hand, so daß der Ring wieder seine ursprüngliche Form annehmen kann. Nun verschieben Sie die Position von Daumen und Zeigefinger von den Seiten des Rings zu seinem oberen und unteren Ende und drücken wieder. Der Ring wird zu einer waagrecht liegenden Ellipse werden. Lassen Sie ihn wieder los, beobachten Sie, wie die Ellipse sich wieder in einen Ring verwandelt, verschieben Sie Daumen und Zeigefinger in die horizontale Position und wiederholen Sie den ganzen Vorgang rhythmisch zehn- bis fünfzehnmal. Es ist schwierig, genau zu sagen, was physiologisch geschieht, wenn man diese aufeinanderfolgenden Verwandlungen eines Kreises in eine senkrechte Ellipse, einer senkrechten Ellipse in einen Kreis, eines Kreises in eine waagrechte Ellipse und einer waagrechten Ellipse in einen Kreis in der Phantasie beobachtet. Aber es kann aufgrund dessen, was man im Augenbereich empfindet, nicht daran gezweifelt werden, daß während dieses Zyklus ununterbrochen bedeutende Muskelbewegungen stattfinden. Subjektiv verspürt man dasselbe, wie wenn man das Auge schnell vom Fernpunkt auf den Nahpunkt und wieder zurück einstellt. Daß der Akkommodationsmechanismus unter diesen Bedingungen in Gang kommt, ist nicht ganz einleuchtend. Aber die Tatsachen sprechen dafür. Es steht empirisch fest, daß diese Übung bei allen Formen von Sehfehlern angebracht ist, ganz besonders aber bei Kurzsichtigkeit.

Eine andere ausgezeichnete Übung, die die Koordination zwischen Körper und Geist, die Vorstellungskraft und die Blickverschiebung schult, ist das »Schreiben mit der Nase«. Setzen Sie sich bequem in einen Sessel, schließen Sie die Augen und stellen Sie sich vor, an Ihrer Nase sei ein schöner langer Bleistift befestigt. (Liebhaber von Edward Lear werden sich an die Bilder des Dong erinnern.) Mit diesem Bleistift ausgerüstet, bewegen Sie nun Kopf und Hals so, wie wenn Sie mit Ihrer verlängerten Nase auf einem imaginären Blatt Papier schreiben wollten (oder, wenn Sie lieber weiße Kreide verwenden, auf einer imaginären schwarzen Tafel), und zwar etwa zwanzig bis fünfundzwanzig Zentimeter vor Ihrem Gesicht. Zeichnen Sie zuerst einen großen Kreis. Da Sie die Bewegungen von Kopf und Hals weniger gut unter Kontrolle haben als diejenigen der Hand, wird dieser Kreis in Ihrer Vorstellung ein wenig unregelmäßig und eckig ausfallen. Fahren Sie mit dem Bleistift etwa ein halbes dutzendmal rundherum, bis die verstärkte Kreislinie einigermaßen anständig aussieht. Dann ziehen Sie eine senkrechte Linie durch den Kreis und fahren sechsmal darüber. Nun ziehen Sie eine andere Linie rechtwinklig zur ersten und fahren auf die gleiche Weise mit dem Bleistift darüber. Ihr Kreis wird nun also ein Kreuz enthalten. Zeichnen Sie darüber ein weiteres Kreuz mit zwei diagonal verlaufenden Linien und beenden Sie die Übung damit, daß Sie mit Ihrem imaginären Bleistift im Kreuzungspunkt der vier Linien Löcher in das Papier stoßen.

Entfernen Sie das beschriebene Blatt, oder, wenn Sie es vorgezogen haben, weiß auf einer schwarzen Tafel zu schreiben, stellen Sie sich vor, wie Sie die Kreide mit einem Lappen wegwischen. Dann zeichnen Sie mit einer sanften, leichten Drehbewegung des Kopfes ein großes Unendlichkeitszeichen – eine liegende Acht. Fahren Sie dieser Figur ein dutzendmal nach und beobachten Sie mit Ihrem inneren Auge, ob die Spitze Ihres imaginären Bleistifts jeweils den bereits gezeichneten Linien exakt folgt oder nicht.

Wischen Sie die Tafel wieder ab oder bereiten Sie ein neues, unbeschriebenes Blatt Papier vor und benutzen Sie Ihren Bleistift diesmal, um ein wenig zu schreiben. Beginnen Sie mit Ihrer Unterschrift. Da Ihr Kopf und Ihr Hals sich so ruckartig bewegen, wird Ihre Unterschrift zuerst aussehen wie die eines betrunkenen Analphabeten. Aber – Übung macht den Meister; nehmen Sie ein neues Blatt Papier und beginnen Sie von vorn. Tun Sie dies vier- bis fünfmal; dann schreiben Sie irgendein anderes Wort hin oder einen Satz, der Ihnen gefällt.

Diese und einige andere, früher beschriebene Übungen können einem recht albern, kindisch und sinnlos vorkommen. Aber das spielt keine Rolle. Entscheidend ist, daß sie etwas bewirken. Ein wenig »Nasenschreiben«, gefolgt von einigen Minuten Augenzudecken, wirkt Wunder, wenn es darum geht, ein durch Überanstrengung ermüdetes Nervensystem und starrende Augen ausruhen zu lassen, und bringt eine deutliche zeitweise Verbesserung des Sehvermögens. Wenn sich durch das »Nasenschreiben« und andere in diesem Buch beschriebene Übungen die normalen, natürlichen Funktionen wieder eingestellt haben, wird aus der zeitweisen Verbesserung des Sehvermögens eine dauerhafte.

Geist und Körper bilden ein einziges Ganzes. Infolgedessen werden geistige Vorgänge wie Sicherinnern und -vorstellen durch das Ausführen von Körperbewegungen erleichtert, die mit dem Inhalt der Gedanken in Zusammenhang stehen – durch Körperbewegungen, die wir ausführen würden, wenn wir wirklich an den Dingen arbeiteten, über die wir uns Gedanken machen, an die wir uns erinnern oder die wir uns vorstellen. Wir können uns zum Beispiel besser an einen Buchstaben oder eine Zahl erinnern oder sie uns vorstellen, wenn wir sie mit dem Zeigefinger auf den Daumenballen schreiben. Wir können sie auch mit der Nase »schreiben«. Wenn Sie eine realistischere Bewegung vorziehen, können Sie auch einen imaginären Bleistift nehmen und die Zahl in ein imaginäres Notizbuch schreiben.

Die Unterstützung des Körpers kann aber auch über die Sprache gewonnen werden. Wenn Sie sich an einen Buchstaben erinnern oder sich ihn vorstellen wollen, formen Sie den Laut mit den Lippen oder sprechen Sie ihn aus. Das gesprochene

Wort ist so eng mit dem gesamten Denkprozeß verbunden, daß jede vertraute Bewegung des Munds und der Stimmbänder automatisch ein Bild dessen evoziert, das durch diesen Laut, der durch die Bewegung entstanden ist, dargestellt wird. Deshalb ist es immer leichter, einen Text zu sehen, wenn man die Wörter beim Lesen laut ausspricht. Menschen, für die das Lesen neu oder schwierig ist oder die nur selten lesen müssen – wie zum Beispiel Kinder oder schlecht ausgebildete Leute –, realisieren diese Tatsache instinktiv. Um ihr Sehvermögen für die wenig vertrauten Symbole auf dem Papier vor ihnen zu verbessern, lesen sie gewöhnlich laut. Fehlsichtige Menschen werden durch ihre Behinderung sozusagen kulturell degradiert. Wie groß auch immer ihre Gelehrsamkeit sein mag, sie sind wie Kinder oder Analphabeten, für die das gedruckte Wort etwas Fremdes und schwer zu Entzifferndes darstellt. Aus diesem Grund sollten sie, während sie die Kunst des Sehens wiedererlernen, es ebenso machen wie die Primitiven – die Wörter, welche sie lesen, mit den Lippen formen und mit dem Finger bezeichnen. Die Bewegungen der Sprechorgane lassen akustische und visuelle Bilder der ausgesprochenen Wörter entstehen; Erinnerungsvermögen und Vorstellungskraft werden stimuliert, und das Gehirn kann seine Aufgabe der Interpretation, des Erkennens und des Sehens besser erfüllen. Gleichzeitig hilft das Zeigen mit dem Finger (besonders wenn dieser sich unter dem zu lesenden Wort fast unmerklich mitbewegt), die zentrale Fixation der Augen aufrechtzuerhalten und die Wörter mit der Stelle des schärfsten Sehens nach und nach abzutasten. Auf seine Art und für seine besonderen Bedürfnisse besitzt das Kind ein außerordentliches Wissen. Wenn wir durch Krankheit oder Funktionsstörungen beim Lesen auf die Entwicklungsstufe des Kindes zurückgeworfen worden sind, sollten wir uns nicht schämen, uns dieses instinktiven Wissens zu bedienen.

15 Kurzsichtigkeit

Jeder, der fehlsichtig ist, wird von der Anwendung der grundlegenden Methoden der Kunst des Sehens, die in den vorhergehenden Kapiteln dargestellt worden sind, profitieren. In diesem und im folgenden Kapitel werde ich beschreiben, wie bestimmte grundlegende Methoden den besonderen Bedürfnissen derjenigen angepaßt werden können, die entweder an Kurzsichtigkeit oder Weitsichtigkeit, an Hornhautverkrümmung oder Schielen leiden. Ich werde auch über einige Methoden berichten, die bei diesen Krankheitsbildern ebenso wie bei Erbkrankheiten, vor allem aber bei Funktionsstörungen besonders wirksam sind.

Die Ursachen

Die Kurzsichtigkeit wird fast immer erworben, und zwar im Verlauf der Kindheit. Man hat sie der Naharbeit zugeschrieben, die die Schulkinder auszuführen haben; in allen zivilisierten Ländern sind große Anstrengungen unternommen worden, diese innerhalb eines bestimmten Zeitraums zu erledigenden Arbeiten zu reduzieren, die Schulbücher mit größeren Buchstaben zu drucken und die Lichtverhältnisse in den Schulzimmern zu verbessern. Die Ergebnisse dieser Reformen waren durchweg enttäuschend. Die Kurzsichtigkeit ist heute sogar noch weiter verbreitet als früher.

Es scheint drei Hauptgründe für diesen bedauerlichen Stand der Dinge zu geben. Erstens: Die Versuche, die äußeren Bedingungen in den Schulen zu verbessern, gingen teilweise nicht weit genug. Zweitens: Gewisse Reformen gingen in eine falsche Richtung. Drittens: Die Reformer haben die psychischen Gründe der Fehlsichtigkeit weitgehend vernachlässigt – eine Nachlässigkeit, die sich gerade bei Kindern besonders schwerwiegend auswirkt.

Der Bereich, in dem die Reformer nur halbherzig vorgegangen sind, umfaßt die Verbesserung der Lichtverhältnisse. Dr. Luckiesh hat experimentell nachgewiesen, daß visuelle Aufgaben leichter zu erfüllen sind und daß weniger nervöse Muskelverspannungen auftreten, wenn die Intensität der Beleuchtung von zehn auf tausend Lux erhöht wird. Er hat zwar keine Experimente mit noch höheren Lichtintensitäten durchgeführt, ist aber der Meinung, alles spreche dafür, daß die Muskelverspannungen (ein Maßstab für Überanstrengung und Ermüdung) bei einer Verstärkung der Beleuchtung auf zehntausend Lux weiter abnehmen würden. Nun, ein Kind in einer gut gebauten, gut beleuchteten modernen Schule kann sich glücklich schätzen, wenn ihm eine Beleuchtung von zweihundert Lux zur Verfügung steht. In vielen Schulen sind es nur hundert oder sogar nur fünfzig Lux. Es besteht Grund zu der Annahme, daß viele Mädchen und Jungen vor der Kurzsichtigkeit bewahrt werden könnten, wenn sie nur genügend Licht erhielten. Unter den gegebenen Umständen können aber nur Kinder mit sehr guten Sehgewohnheiten hoffen, ihre Schulzeit ohne Überanstrengung der Sehorgane hinter sich zu bringen. Überanstrengung aber ist die Hauptursache für Funktionsstörungen, die bei vielen Kindern Kurzsichtigkeit hervorrufen.

Bei ihrem Versuch, die Lichtverhältnisse zu verbessern, sind die Reformer also nicht weit genug gegangen. Bei dem Versuch, die Druckschrift in den Schulbüchern zu verbessern, sind sie zu weit gegangen – in die falsche Richtung. Die größte Druckschrift ist nicht unbedingt die beste, wenn es darum geht, unangestrengt und deutlich zu sehen. Es stimmt zwar, daß große Druckschrift als leicht lesbar gilt; weil sie aber scheinbar so leicht zu lesen ist, bringt sie Augen und Gehirn in Versuchung. Sie wollen ganze Linien des so leicht zu lesenden Drucks mit einem Blick deutlich sehen. Die zentrale Fixation geht verloren, die Augen und die Aufmerksamkeit wandern nicht mehr, es kommt zum Starren – die Sehkraft wird nicht etwa verbessert, sondern in Wirklichkeit geschwächt. Für gutes Sehen eignet sich eine nicht zu große, aber recht fette Druckschrift am besten, mit starken Kontrasten zwischen den schwarzen Buchstaben und dem weißen Hintergrund. Eine solche Druckschrift bringt Augen und Gehirn nicht in Versuchung, wegen der scheinbar besonders guten Lesbarkeit allzuviel auf einmal sehen zu wollen. Dafür spornt die kleinere Druckschrift die

Augen an, mit zentraler Fixation und im Zustand dynamischer Entspannung zu lesen. Dr. Bates benützte den kleinsten erhältlichen Schriftgrad bei der Behandlung von Sehfehlern. Er gab seinen Schülern nicht nur Texte, die in Diamanttyp gesetzt waren, zu lesen (der kleinsten Type, die dem Drucker zur Verfügung steht), sondern sogar jene mikroskopischen Verkleinerungen von Druckschrift, die nur mit Hilfe einer Kamera hergestellt werden können. Dieser mikroskopisch kleine Schriftgrad kann nur gelesen werden, wenn Augen und Gehirn im Zustand vollständiger dynamischer Entspannung sind und mit genauester zentraler Fixation arbeiten. Mit Hilfe eines guten Lehrers können selbst Menschen mit sehr schwerer Sehbehinderung (ich spreche hier aus eigener Erfahrung) fähig werden, Wörter in mikroskopischer Druckschrift zu lesen. Das Ergebnis ist nicht etwa eine Überanstrengung oder Ermüdung der Augen, sondern eine bedeutende zeitweise Verbesserung des Sehvermögens für andere Gegenstände. Ohne einen Lehrer mit dem mikroskopischen Schrifttyp zu arbeiten, ist nicht so einfach, und ein unbedachter Enthusiast kann in Versuchung kommen, die Sache falsch anzupacken. Deshalb habe ich diese Methode nicht im einzelnen beschrieben. Wenn ich sie hier erwähne, dann nur, um zu zeigen, daß die Beziehungen zwischen der Größe der Druckschrift und dem Sehen nicht so offensichtlich und eindeutig sind, wie die Schöpfer von Schulbüchern sie sich gemeinhin vorgestellt haben.

Die Reformer haben sicher für zumindest einen teilweisen Mißerfolg ihrer Anstrengungen gesorgt, indem sie die psychologischen Ursachen für die Entwicklung von Fehlsichtigkeiten bei Schulkindern vernachlässigten. Selbst wenn die Beleuchtung in den Schulen in nie geahntem Ausmaß verbessert würde, selbst wenn in allen Fibeln und Lesebüchern die bestmögliche Druckschrift zur Anwendung käme, würden ohne Zweifel immer noch sehr viele Kinder Kurzsichtigkeit und andere Sehschwächen entwickeln. Und zwar deshalb, weil sie oft gelangweilt und manchmal verängstigt sind, weil sie es nicht mögen, stundenlang in einem Raum zu sitzen und dabei etwas zu lesen und zu hören, was ihnen reichlich albern vorkommt, und weil sie sich nicht gerne zu Aufgaben zwingen lassen, die sie nicht nur als schwierig, sondern auch als sinnlos empfinden. Zudem erzeugt die Atmosphäre des Wettbewerbs und die Angst vor Bloßstellung oder Lächerlichkeit in der Psyche vieler Kinder eine chronische Angst, die alle Teile des Körpers einschließlich der Augen und der mit dem Sehen verbundenen Funktionen des Gehirns ungünstig beeinflußt. Das ist aber noch nicht alles; die Schule bringt es mit sich, daß die Kinder ständig neue und unvertraute Dinge anzusehen haben. Jedesmal wenn eine neue mathematische Formel an die Wandtafel geschrieben wird, jedesmal wenn die Klasse eine neue Seite lateinischer Grammatik lernen oder einen neuen Ausschnitt auf einer Landkarte studieren muß, werden alle beteiligten Kinder dazu gezwungen, ihre Aufmerksamkeit auf einen völlig unvertrauten Gegenstand zu konzentrieren – das heißt, auf etwas, was besonders schwer zu sehen ist. Das führt zu einer gewissen Überanstrengung von Augen und Gehirn auch derer, die an sich ausgezeichnete Sehgewohnheiten besitzen.

Ungefähr siebzig Prozent der Kinder sind ausgeglichen und stabil genug, um die Schulzeit ohne visuelle Störungen zu verkraften. Der Rest geht aus der erzieherischen Feuerprobe mit Kurzsichtigkeit oder mit einem anderen Sehfehler hervor.

Einige der psychologischen Gründe für schlechtes Sehen können wahrscheinlich nie aus der Schule verbannt werden; denn sie scheinen dem Prozeß inhärent zu sein, daß man Kinder in Gruppen zusammenführt und ihnen Disziplin und Bücherwissen beibringt. Anderer Gründe kann man sich entledigen – aber nur durch die seltene Kombination von gutem Willen und Intelligenz. (Wie soll man zum Beispiel, bis alle Lehrer zu Engeln und Genies geworden sind, eine beachtliche Anzahl von Kindern in jeder Generation vor Verängstigung und Langeweile bewahren?)

Es gibt jedoch einen Bereich, in dem die Gründe für schlechtes Sehen ziemlich sicher und ohne Schwierigkeiten eliminiert werden können: Man kann die Überanstrengung von Augen und Gehirn mildern, die dadurch entsteht, daß die Kinder immer wieder neue, ihnen unvertraute Dinge betrachten müssen. Die äußerst simple Methode zur Erreichung dieses Ziels wurde von Dr. Bates entwickelt und einige Jahre lang erfolgreich in Schulen in verschiedenen Teilen der Vereinigten Staaten angewendet. Wegen Personalwechsels in den Schulleitungen und unter dem Druck des medizinischen Pharisäertums wurde sie nach und nach wieder aufgegeben. Das ist bedauernswert; denn es gibt Beweise dafür, daß diese Methode zur Erhaltung des kindlichen Sehvermögens beigetragen hat; im übrigen war es ihrem Wesen nach absolut unmöglich, daß sie irgend jemanden einen Schaden hätte zufügen können.

Dr. Bates' Methode, die Überanstrengung zu mildern, die dann entsteht, wenn man fortwährend auf unvertraute Gegenstände blickt, war überaus einfach. Sie bestand lediglich darin, eine Snellen-Sehprobentafel an einer gut sichtbaren Stelle im Klassenzimmer aufzuhängen und die Kinder aufzufordern, diese Tafel, die ihnen bald völlig vertraut war, jedesmal kurz zu betrachten, wenn sie Schwierigkeiten hatten, auf die Wandtafel zu sehen oder auf eine Karte oder die Seiten, sagen wir, eines Grammatik- oder Geometriebuchs zu lesen. Da die Sehprobentafel den Kindern vertraut war, konnten sie die nach ihrer Größe abgestuften Buchstaben ohne Schwierigkeiten lesen. Dieses Lesen gab ihnen neues Vertrauen in ihre eigenen Kräfte und beseitigte die Überanstrengung, die durch die konzentrierte Aufmerksamkeit auf etwas Fremdes und Unvertrautes hervorgerufen worden war. Durch dieses neuerworbene Vertrauen und die Entspannung gestärkt, wandten sich die Kinder dann wieder ihrer Arbeit zu und fanden, daß sich ihr Sehvermögen deutlich verbessert hatte.

Wie wir gesehen haben, besitzt die Snellen-Sehprobentafel gewisse Nachteile. Deshalb ist es vielleicht ratsamer, sie durch einen der großen, in einem früheren Kapitel beschriebenen und überall im Handel erhältlichen Wandkalender zu ersetzen. Man kann auch die Kinder anweisen, eine der Mitteilungen oder der Sinnsprüche, die im allgemeinen in Klassenräumen hängen, anzusehen, sobald ihr Sehvermögen abnimmt oder Ermüdungserscheinungen auftreten. Wichtig dabei ist allein, daß die betrachteten Wörter, Buchstaben oder Zahlen den Kindern vollkommen vertraut sind; denn nur durch etwas Vertrautes können die schädlichen Wirkungen des Unvertrauten auf das Sehvermögen neutralisiert werden.

Ich brauche kaum hinzuzufügen, daß es keinen Grund gibt, warum diese Methode auf Klassenzimmer beschränkt werden sollte. Ein Kalender oder ein anderes Stück bedrucktes Papier, dessen Bild fest im Gedächtnis steht, ist eine wertvolle Ergänzung zu der Einrichtung jedes Zimmers, in dem konzentrierte Arbeit ausgeführt wird, die das Betrachten von unvertrauten Objekten oder neuen Kombinationen von vertrauten Elementen miteinschließt. Eine beginnende Überanstrengung kann sehr schnell beseitigt werden, indem man – analytisch oder mit kleinsten Blickverschiebungen – die vertrauten Wörter oder Zahlen betrachtet. Decken Sie zusätzlich von Zeit zu Zeit die Augen mit den Handtellern zu und machen Sie, wenn möglich, eine Sonnenbestrahlung – so wird sich die beginnende Überanstrengung nie zu einer Ermüdung und zu einer Beeinträchtigung des Sehvermögens auswachsen.

Übungstechniken

Von diesem langen, aber nicht unwichtigen Exkurs lassen Sie uns zur Betrachtung der Übungen zurückkehren, die dem Kurzsichtigen das normale Sehvermögen wiedergeben sollen. In schwereren Fällen wird wahrscheinlich die Hilfe eines fähigen Lehrers notwendig sein, um eine nennenswerte Verbesserung zu erreichen. Aber jeder kann von den hier beschriebenen Übungen profitieren, oft in hohem Maß, besonders wenn sie auf die speziellen Bedürfnisse des Kurzsichtigen abgestimmt sind.

Das Zudecken der Augen mit den Handtellern sollte der Kurzsichtige so oft und so lange wie möglich praktizieren. Die Übung wird doppelt so wertvoll, wenn die Szenen und Ereignisse, an die er sich mit geschlossenen und bedeckten Augen erinnert, so ausgewählt werden, daß sich das geistige Auge von der Ferne über beträchtliche Distanzen auf die Nähe einzustellen hat. Die meisten von uns haben irgendwann einmal auf einer Eisenbahnbrücke gestanden und beobachtet, wie die Züge herannahten und in der Ferne wieder verschwanden. Solche Erinnerungen sind für den Kurzsichtigen sehr nützlich; denn sie bringen sein Bewußtsein dazu, aus der engen Welt der Kurzsichtigkeit herauszutreten und sich der Weite anzuvertrauen. Gleichzeitig wird der Akkomodationsmechanismus, der mit dem Gehirn eng verbunden ist, unbewußt in Bewegung gesetzt.

Freunde gehen Ihnen auf einer vertrauten Straße entgegen, Pferde galoppieren über die Felder davon, Boote gleiten über einen Fluß dahin, Busse kommen an und fahren ab – alle diese Erinnerungen an die Tiefe des Raums und die Weite sind nützlich. Manchmal ist es auch vorteilhaft, sie durch Bilder aus der Phantasie zu ergänzen. So kann man sich vorstellen, man rolle Billardkugeln über einen ungeheuer langen Tisch oder man werfe einen Stein auf das Eis eines großen Sees und beobachte, wie er in die Ferne gleitet.

Die Sonnenbestrahlung und die Schwungübungen müssen für den Kurzsichtigen nicht modifiziert werden. Die Übungen, die dazu dienen, die schlechte Gewohnheit des Starrens zu beseitigen und die Beweglichkeit der Augen sowie die zentrale Fixation zu fördern, können ebenfalls unverändert übernommen werden, mit Ausnahme der Kalenderübung, die an die Bedürfnisse des Kurzsichtigen folgendermaßen angepaßt werden kann:

Beginnen Sie in einem Abstand, der es Ihnen erlaubt, die großen Zahlen mühelos zu sehen. Üben Sie zuerst mit beiden Augen gleichzeitig, dann (indem Sie ein Auge mit einem Augenschutz oder einem Taschentuch abdecken) mit jedem Auge einzeln. Wenn ein Auge schlechter sieht als das andere, dann geben Sie diesem mehr zu tun – aber verlängern Sie auch die Perioden des Augenzudeckens zwischen den Übungen, um so eine Ermüdung zu vermeiden. Nach einigen Tagen, wenn Augen und Gehirn sich daran gewöhnt haben, auch ohne die Hilfe von Brillengläsern etwas zu sehen (die immer noch in gewissen Notfällen getragen werden müssen oder wenn eine Gefährdung für einen selbst und andere besteht, wie zum Beispiel beim Autofahren oder beim Gehen auf einer belebten Straße), setzen Sie sich dreißig oder sechzig Zentimeter weiter vom Kalender weg und wiederholen die Übungen in diesem Abstand. Nach einigen Wochen sollten Sie in der Lage sein, den Abstand zu den Gegenständen, die Sie scharf sehen, ganz beträchtlich zu vergrößern.

Kurzsichtige Augen sollten häufig die Einstellung vom Nahpunkt auf den Fernpunkt üben. Dazu besorgen Sie sich einen kleinen Taschenkalender in der Art des großen Wandkalenders – mit dem laufenden Monat in großer Druckschrift oben und dem folgenden und dem vergangenen Monat in kleiner Druckschrift darunter. Halten Sie den Taschenkalender relativ nah vor die Augen, werfen Sie einen Blick auf die Zahl Eins des großgedruckten Monats, schauen Sie dann weg und suchen die großgedruckte Eins auf dem Wandkalender. Schließen Sie die Augen und entspannen Sie sich. Dann verfahren Sie mit den folgenden Zahlen ebenso. Alle Schritte dieser Übung können auf diese Weise mit den zwei Kalendern ausgeführt werden, mit beiden Augen zusammen und mit einem Auge allein und in immer größeren Abständen vom Wandkalender. Kurzsichtige Menschen werden die Übung ganz schön anspruchsvoll finden und sollten sie deshalb besonders häufig unterbrechen, um die Augen mit den Handtellern zuzudecken und, wenn möglich, etwas zu sonnen. Falls ein kleiner Taschenkalender aus irgendwelchen Gründen nicht zur Verfügung steht, kann das Zifferblatt einer Armbanduhr verwendet werden. Halten Sie es nahe an die Augen, werfen Sie einen Blick auf die Eins und dann auf die entsprechende Zahl auf dem Wandkalender. Schließen Sie die Augen, entspannen Sie sich und fahren Sie auf die gleiche Weise fort, »rund um die Uhr«.

Zwar können Kurzsichtige ohne Brille lesen, aber nur an einem Punkt, der abnorm nahe am Auge liegt. Es ist ihnen jedoch möglich, ohne übermäßige Anstrengung auch in einem Bereich zu lesen, der zweieinhalb bis fünf Zentimeter weiter weg liegt. Leseübungen in dieser etwas größeren Entfernung werden nach und nach das leichte Gefühl des Unbehagens beseitigen, das mit dem »In-die-Ferne-Sehen« verbunden ist – immer vorausgesetzt natürlich, daß die Aufmerksamkeit richtig eingesetzt und das Starren (jenes große Laster des Kurzsichtigen) vermieden wird. Am Ende jeder Seite oder sogar am Ende jedes Abschnitts sollte der Kurzsichtige für einige Sekunden aufschauen, um ein ihm vollständig vertrautes, in einer gewissen Entfernung liegendes Objekt zu betrachten, wie zum Beispiel einen Wandkalender oder den Fensterausschnitt. Weitere Hinweise im Zusammenhang mit der Kunst des Lesens werden in dem speziell diesem Thema gewidmeten Kapitel gegeben.

Kurzsichtige Leute sollten während der Fahrt in einem Bus oder Auto jede Gelegenheit benützen, mit kurzen »blitzenden« Blicken die Schrift auf Plakaten, an Geschäften und so weiter abzutasten. Dabei sollte nicht der Versuch gemacht werden, die betrachteten Wörter mit dem Blick zu »halten«, bis sie deutlich sichtbar werden. Schauen Sie nur einen Augenblick hin und schließen Sie die Augen. Dann, wenn die Bewegung des Fahrzeugs es erlaubt, schauen Sie wieder kurz hin. Wenn Sie das Wort sehen, gut; wenn Sie es nicht sehen, auch gut – denn Sie haben allen Grund, anzunehmen, daß Sie es eines Tages sehen werden.

Ein paar Hinweise, wie man die Kunst des Sehens auf Filme anwenden kann, werden in einem späteren Kapitel folgen. Hier möchte ich nur bemerken, daß das Kino für jeden, der es aushält, einen Film mehr als einmal anzusehen, dazu geschaffen ist, Material für wertvolle Übungen zu liefern. Sehen Sie sich den Film bei Ihrem ersten Besuch von einem Platz in einer der vordersten Reihen an. Beim nächstenmal nehmen Sie sich einen Platz sechs Meter weiter hinten. Sie werden den Film nun besser sehen als beim erstenmal, da Sie ihn schon kennen; und Sie werden ihn sogar aus dieser größeren Entfernung gut sehen. Die noch bessere Kenntnis des Films wird Ihnen bei Ihrem dritten Besuch ein weiteres Abrücken in Richtung der hintersten Reihen des Kinos erlauben. Und wenn Sie genügend Ausdauer, Zeit und Geld besitzen, können Sie den Film natürlich ein viertes, fünftes und sechstes, ein siebenundsiebzigstes Mal ansehen und sich jedesmal ein bißchen weiter hinten hinsetzen.

16 Weitsichtigkeit, Hornhautverkrümmung, Schielen

Weitsichtigkeit tritt vor allem in zwei Formen auf – als Übersichtigkeit (Hyperopie), die oft bei jungen Leuten festgestellt wird und die auch in späteren Jahren fortbesteht, und als Alterssichtigkeit (Presbyopie), die im allgemeinen in der zweiten Lebenshälfte einsetzt. Alle Formen der Weitsichtigkeit können teilweise oder vollständig normalisiert werden.

Die Übersichtigkeit verursacht oft Beschwerden, und wenn sie (was nicht selten vorkommt) mit einem leichten Auswärtsschielen eines Auges verbunden ist, kann sie häufig starke Kopfschmerzen, Schwindel sowie Anfälle von Übelkeit und Erbrechen hervorrufen. Die Symptombehandlung der Übersichtigkeit mit Korrekturgläsern beseitigt manchmal diese unangenehmen Erscheinungen; manchmal aber versagt sie, und die Kopfschmerzen und die Übelkeit bleiben so lange bestehen, bis der Betroffene die Kunst des Sehens erlernt hat.

Die Alterssichtigkeit wird gewöhnlich als eine unvermeidliche Folge des Alterungsprozesses betrachtet. Die Linse des Auges verhärtet sich mit zunehmenden Jahren wie die Knochen des Skeletts, und diese Verhärtung, so wird angenommen, hindert das alternde Auge daran, sich auf den Nahpunkt einzustellen, zu akkommodieren. Nichtsdestoweniger akkommodieren die Augen vieler alter Leute bis an deren Lebensende; und wer sich einer entsprechenden visuellen Schulung unterzieht, lernt bald, in normaler Entfernung zu lesen – ohne die Hilfe einer Brille. Daraus können wir schließen, daß die Alterssichtigkeit weder unausweichlich noch vorbestimmt ist.

Das Zudecken der Augen, die Sonnenbestrahlung, die Schwünge und die Blickverschiebeübungen können viel dazu beitragen, die mit der Übersichtigkeit verbundenen Beschwerden zu mildern. Sie bringen Augen und Gehirn in den Zustand der dynamischen Entspannung, der ein normales Sehen erst möglich macht. Ergänzt werden sollten diese Techniken durch Vorstellungsübungen, die vor allem die Lesefähigkeit der Weitsichtigen verbessern.

Dem Übersichtigen erscheint ein gedruckter Text grau und verschwommen. Er kann diese Tatsache indirekt beeinflussen, indem er die Grundübungen zum Erlernen der Kunst des Sehens durchführt – also Zudecken der Augen, Sonnenbestrahlung, Schwung- und Blickverschiebeübungen. Er kann auch direkt Einfluß nehmen durch Steigerung der Erinnerungs- und Vorstellungskraft. Er sollte einen der großen Buchstaben oder eine Zahl seines Wandkalenders anblicken und sich dann mit geschlossenen Augen und mit dem Gedanken »loslassen« an die intensive Schwärze des Druckes erinnern und sich gleichzeitig vergegenwärtigen, daß genau die gleiche Druckerschwärze dazu benutzt wurde, die kleinen Buchstaben zu drucken, die ihm grau und verschwommen erscheinen. Als nächstes sollte er die Vorstellungskraft ins Spiel bringen und sich einen kleineren Buchstaben vorstellen mit je einem noch schwärzeren Punkt an dessen oberen und unteren Ende. Nachdem er mit seinem inneren Auge von einem Punkt zum anderen gewandert ist, sollte er den wirklichen Buchstaben ansehen und an ihm das gleiche wiederholen. Der Buchstabe wird bald schwärzer werden, und für einige Sekunden wird der Übersichtige fähig, diesen und die anderen Buchstaben und Zahlen auf dem Kalender ganz deutlich zu sehen. Dann wird alles wieder verschwimmen, und er wird seine Erinnerungs- und Imaginationsübung wiederholen müssen.

Nachdem er sich ein wenig auf die Schwärze der Buchstaben konzentriert hat, sollte er sich ihres weißen Hintergrunds bewußt werden, sich diesen erst weißer vorstellen, als er in Wirklichkeit ist, und ihn dann mit Hilfe der Vorstellungskraft auch weißer sehen. So kann die Fähigkeit, zu lesen und andere Naharbeit zu verrichten, merklich verbessert werden. Das überrascht nicht; denn zwischen Augen und Gehirn besteht eine wechselseitige Beziehung. Eine Überanstrengung des Gehirns führt zu einer Überanstrengung und Verformung der Sehorgane. Die Verformung der Augen wiederum führt dazu, daß das Gehirn ein mangelhaftes Bild von einem Gegenstand empfängt. Dadurch nimmt die Überanstrengung weiter zu. Wenn aber das Gehirn mit Hilfe des Gedächtnisses und der Vorstellungskraft ein vollkommenes inneres Bild des äußeren Objekts herstellen kann, führt dies zu einer Abnahme der Überanstrengung und Verformung der Augen. Je vollkommener das geistige Bild ist, desto besser wird der organische Zustand der Augen. Denn die Augen werden versuchen, die Struktur anzunehmen, die sie brauchen, wenn sie *sensa* vermitteln sollen, die das Gehirn als das vollkommene Bild eines sichtbaren Gegenstands erkennt. Die Beziehung zwischen Augen und Gehirn ist nicht nur wechselseitig, zweibahnig angelegt; sie kann auch zum gegenseitigen Wohl dienen, so gut wie zum gegenseitigen Schaden. Es ist wichtig, sich an diese Tatsache zu erinnern, denn aus irgendeinem seltsamen Grund neigen wir dazu, nur an die negative gegenseitige Beeinflussung von Augen und Gehirn zu denken – nämlich an die auf Überanstrengung und Brechungsfehler zurückzuführende Sehschwäche, an die durch die Vorstellungskraft hervorgerufenen optischen Täuschungen, an das zeitweilige Versagen der Sehkraft wegen Wut oder Kummer und an die auf chronisch negativen Gefühlen beruhenden Augenkrankheiten. Aber ebenso wie die Augen und das Gehirn sich gegenseitig schaden können, so können sie sich auch helfen. Wenn das Gehirn nicht überanstrengt ist, dann ist auch die Struktur der Augen nicht deformiert, und intakte Augen arbeiten so gut, daß sie dem Gehirn keine zusätzliche Belastung aufladen. Wenn aber durch geistige Überanstrengung oder aus irgendeinem anderen Grund die Augen verformt worden sind, kann das Gehirn dazu beitragen, sie zu korrigieren, indem es an seinem Ende der Verbindungslinie das Richtige tut! Es kann Erinnerungsvorgänge ablaufen lassen, die immer mit Entspannung verbunden sind, und so den Augen gestatten, zu ihrer normalen Form und Funktion zurückzukehren. Und es kann durch die Vorstellungskraft Bilder von Gegenständen hervorrufen, die vollkommener sind als jene, die es gewöhnlich anhand der durch die verformten Augen übermittelten mangelhaften *sensa* sieht. Wenn das Gehirn eine vollkommen klare Vorstellung von einem Gegenstand hat, kehren die Augen automatisch in den Zustand zurück, der sie befähigt, das richtige Rohmaterial zur Herstellung eines solchen Bilds zu liefern. Genauso wie zwischen den Gefühlen und ihrem körperlichen Ausdruck (in Form von Gesten, Stoffwechselveränderungen, Drüsentätigkeit usw.) eine unauflösliche Verbindung besteht, so besteht auch eine unauflösliche Beziehung, zum Guten wie zum Schlechten, zwischen den inneren Bildern, ob sie nun durch Erinnerung, Vorstellungskraft oder Interpretation von *sensa* entstehen, und dem organischen Zustand der Augen. Verbessern oder verschlechtern Sie das innere Bild eines Gegenstandes, und Sie verbessern oder verschlechtern automatisch den Zustand der Augen. Durch wiederholtes Sicherinnern und -vorstellen kann die Qualität dieser Bilder zunächst vorübergehend, dann anhaltend verbessert werden. Wenn das erreicht ist, wird sich die Struktur der Augen ebenfalls zunächst vorübergehend und dann anhaltend verbessern. Deshalb sind Erinnerungs- und Vorstellungsübungen bei der Übersichtigkeit ebenso wie bei den Fällen, wo die *sensa* von minderer Qualität sind und sich schlecht interpretieren lassen, von so großem Wert.

Die Übungen, die das Gehirn und die Augen zwingen, sich rasch von der Ferne auf die Nähe einzustellen, sind für den Übersichtigen wie für den Kurzsichtigen gleichermaßen nützlich. Solche Übungen wurden bereits im Kapitel über die Kurzsichtigkeit beschrieben.

Bei der Alterssichtigkeit ist das Wesentliche, die Unfähigkeit der Augen zu akkommodieren. Sie erhalten also am Nahpunkt keine genauen und scharfen Sinneswahrnehmungen. Dieses Versagen des Akkommodationsmechanismus scheint das Ergebnis einer Gewohnheit zu sein, die besonders Leute im mittleren und höheren Alter wegen der Verhärtung ihrer Augenlinse leicht entwickeln. Wie die Erfahrung zeigt, kann diese Gewohnheit aufgegeben werden, selbst wenn – was wahrscheinlich ist – die Augenlinse verhärtet bleibt. Wie alle anderen an Sehfehlern leidenden Menschen sollten Alterssichtige die Grundregeln der Kunst des Sehens befolgen, sie den eigenen, besonderen Bedürfnissen anpassen und, wenn nötig, ergänzen. Neben den bereits beschriebenen Übungen, die für alle Formen der Weitsichtigkeit geeignet sind, sollten sie die nun folgenden Methoden zur Verbesserung ihrer Lesefähigkeit anwenden.

Druckschrift kann man ohne allzu große Anstrengung lesen, wenn man sie näher an die Augen bringt, als man es sonst gewohnt ist. Der alterssichtige Mensch kann seine Augen und sein Gehirn dazu bewegen, sich an einen solchen geringeren Abstand beim Lesen zu gewöhnen, immer vorausgesetzt, daß er dabei kurze Pausen einlegt, um seine Sehorgane durch Zudecken mit den Handtellern, durch Schwungübungen und Sonnenbestrahlung zu entspannen. Nach und nach kann die Lesedistanz auf diese Weise beträchtlich verkleinert und die Anpassungsfähigkeit von Augen und Gehirn wieder hergestellt werden.

Oliver Wendell Holmes berichtet über einen älteren Herrn aus seinem Bekanntenkreis: »Als er bemerkte, daß sein Sehvermögen abnahm, begann er sofort, mit kleinster Druckschrift Leseübungen durchzuführen, um so der Natur ein für allemal die Gewohnheit auszutreiben, sich um die Fünfundvierzig herum solche Dinge zu erlauben. Und jetzt vollbringt der alte Herr die außerordentlichsten Kunststücke mit seiner Feder. Seine Augen müssen wahre Mikroskope sein. Ich wage nicht zu sagen, wieviel er auf der Fläche eines Fünf-Cent-Stükkes unterbringt, ob die Psalmen oder die Evangelien oder sowohl die Psalmen als auch die Evangelien!«

Dieser alte Herr hatte offensichtlich für sich selbst entdeckt, was Dr. Bates später wiederentdecken und der Welt mitteilen sollte – wie wertvoll nämlich sehr kleine und sogar mikroskopisch kleine Druckschrift für fehlsichtige Menschen ist. Oliver Wendell Holmes hat jedoch nicht recht, wenn er sagt, daß der alte Herr »der Natur ein für allemal die Gewohnheit austrieb«, Alterssichtigkeit zu entwickeln. Mit Gewalt kann man bei den wahrnehmenden Augen und dem erkennenden Gehirn nichts erreichen. Jeglicher Versuch, sie zur Sinneswahrnehmung und zum Erkennen zu zwingen, wird immer, und zwar in sehr kurzer Zeit, zu einer Verschlechterung, nicht zu einer Verbesserung des Sehvermögens führen. Der alte Herr, der seine Augen so trainierte, daß sie wie zwei Mikroskope arbeiteten, kann unmöglich grob mit ihnen umgegangen sein; er muß ihnen »liebevoll zugeredet« haben. Alle alterssichtigen Menschen können dasselbe vollbringen, wenn sie seinem Beispiel folgen.

Besorgen Sie sich einen sehr klein gedruckten Text. (In jedem Buchantiquariat finden Sie dicke kleine Bücher im Duodezformat aus dem frühen 19. Jahrhundert, welche die gesamten Werke der Großen und der Vergessenen enthalten. Sie sind in Diamantschrift gedruckt, die so klein ist, daß unsere Vorfahren in der Tat ein gutes Sehvermögen gehabt haben müssen, wenn sie sich durch solche Bände hindurcharbeiten wollten.) Lassen Sie die Sonne auf Ihre geschlossenen Augen scheinen, oder, wenn das nicht möglich ist, baden Sie sie im Licht einer starken elektrischen Lampe. Bedecken Sie Ihre Augen für einige Minuten mit den Handtellern und sonnen Sie sie anschließend noch einmal ein paar Sekunden lang. Auf diese Weise entspannt, können Sie nun mit der Arbeit an Ihrem kleingedruckten Text beginnen: Halten Sie das Buch entweder ins volle Sonnenlicht oder in das Licht einer anderen sehr guten Lichtquelle; betrachten Sie die Buchseite entspannt und ohne Anstrengung; atmen und blinzeln Sie dabei. Versuchen Sie nicht, die Wörter zu sehen, sondern lassen Sie den Blick in den weißen Zwischenräumen zwischen den Zeilen hin- und herwandern. Die Betrachtung einer weißen Fläche bietet dem Gehirn keinerlei Schwierigkeiten. Sie können also nicht in Versuchung kommen, sich zu überanstrengen, wenn Sie die Augen und die Aufmerksamkeit in den weißen Zwischenräumen hin- und herschweifen lassen. Halten Sie das Buch zu Beginn in großem Abstand zu sich und bringen Sie es dann bis auf dreißig Zentimeter an die Augen heran. Widmen Sie Ihre Aufmerksamkeit auch weiterhin den weißen Zwischenräumen und nicht der Druckschrift; bemühen Sie sich, zu atmen und zu blinzeln, um so einer unerwünschten Fixierung der Aufmerksamkeit vorzubeugen. (Wenn man den äußeren Ausdruck eines unerwünschten geistigen Zustands verändert, wirkt man auf den geistigen Zustand selbst ein. Wir können die Aufmerksamkeit nicht falsch einsetzen, wenn wir uns intensiv bemühen, die äußeren Symptome falsch eingesetzter Aufmerksamkeit zu korrigieren.) Unterbrechen Sie diese Übung häufig, um die Augen mit den Handtellern zuzudecken und zu sonnen. Das ist wesentlich; denn die wahrnehmenden Augen und der erkennende Verstand lassen sich, wie wir gesehen haben, nicht zu etwas zwingen. Wenn sie gute Seharbeit leisten sollen, müssen sie entspannt sein und mit Geduld dazu gebracht werden, so zu arbeiten, wie sie sollen.

Nachdem man einige Zeit auf diese Übungen verwendet hat, wird man im allgemeinen feststellen, daß plötzlich einzelne

Wörter und ganze Sätze des kleingedruckten Textes deutlich sichtbar werden. Widerstehen Sie der Versuchung, wegen dieser ersten Erfolge ein kontinuierliches Lesen anzustreben. Ihr Ziel ist zu diesem Zeitpunkt nicht der unmittelbare handgreifliche Erfolg, die vor Ihnen liegende Seite zu lesen; es besteht vielmehr darin, die Mittel zu erwerben, durch welche Sie diesen und ähnliche Erfolge in Zukunft ohne Überanstrengung oder Ermüdung, sondern mit einer immer größeren Leistungsfähigkeit erreichen können. Ich wiederhole, versuchen Sie nicht, zu lesen, sondern fahren Sie fort, ohne Anstrengung die ganze Seite, vor allem aber die weißen Zwischenräume zwischen den Zeilen in unterschiedlichen Abständen zu den Augen zu betrachten. Nehmen Sie von Zeit zu Zeit, wenn ein Wort des kleingedruckten Textes sichtbar geworden ist, ein Buch mit durchschnittlich großer Druckschrift und lesen Sie darin einen Abschnitt oder zwei. Sie werden mit höchster Wahrscheinlichkeit feststellen, daß Sie diesen Text leichter und in geringerem Abstand zu den Augen lesen können, als Sie dies vor Beginn der Übung gekonnt hätten.

Hornhautverkrümmung und Schielen

Durch Hornhautverkrümmung (Astigmatismus) bedingte Fehlsichtigkeiten können bedeutend verringert oder sogar ganz eliminiert werden, wenn die Kunst des Sehens sorgfältig geübt und Augen und Gehirn zu einer natürlichen und normalen Funktionsweise zurückgeführt werden. In den Abschnitten über die Dominoübungen sind bereits einige besonders für Astigmatiker geeignete Verfahren beschrieben worden. Deshalb brauchen wir uns hier nicht nochmals mit diesem Thema zu befassen.

Wer an einer ernsten Form des Schielens leidet, wird große Schwierigkeiten haben, allein die normale Funktionsweise wiederherzustellen. Er sollte die Hilfe eines erfahrenen Lehrers suchen, der ihm zeigt, wie man die dynamische Entspannung herbeiführt, wie man die Sehschärfe des schwächeren Auges verbessert und (als letzten und schwierigsten Schritt) wie man das Gehirn dazu bringt, die von den beiden Augen gelieferten *sensa* in ein einziges Bild des sichtbaren Objekts zu verschmelzen.

Wer an einer leichteren Störung des Gleichgewichts der Augenmuskeln leidet – selbst eine fast unmerkliche Abweichung eines oder beider Augen kann die Ursache äußerst lästiger Beschwerden und oft auch ernsthafter Behinderungen sein –, wird aus der nun folgenden einfachen »Doppelbildübung« beträchtlichen Nutzen ziehen.

Entspannen Sie sich durch Zudecken der Augen mit den Handtellern; halten Sie dann mit ausgestrecktem Arm einen Bleistift waagrecht in Augenhöhe, die Spitze gegen die Nase gerichtet. Führen Sie den Bleistift gegen sich und blinzeln Sie dazu. Wenn der Bleistift dicht vor Ihrem Gesicht ist, verändern Sie seine Stellung von der Waagrechten in die Senkrechte. Halten Sie ihn unmittelbar in Höhe der Nasenspitze aufrecht, etwa zehn Zentimeter vom Gesicht entfernt. Blicken Sie nun den Bleistift direkt an. Um jedes Starren zu vermeiden, lassen Sie Ihre Aufmerksamkeit schnell von seinem oberen zu seinem unteren Ende wandern. Tun Sie dies ein halbes dutzendmal; dann schauen Sie über die Spitze des Bleistifts hinweg auf ein entferntes Objekt am anderen Ende des Zimmers. Wenn die Augen auf dieses entfernte Objekt eingestellt sind, werden aus dem Bleistift am Nahpunkt scheinbar zwei Bleistifte. Von einem parallel ausgerichteten Augenpaar werden diese zwei Bleistifte in einem Abstand von zehn Zentimetern voneinander gesehen. Wo aber eine Störung des Muskelgleichgewichts besteht, wird die Distanz zwischen den beiden Bildern um einiges geringer erscheinen. (Und wenn es sich um ausgesprochen starkes Schielen handelt, ist das Phänomen überhaupt nicht zu beobachten.) Sollten Sie die zwei Bilder zu nahe beieinander sehen, schließen Sie die Augen, »lassen Sie los« und stellen Sie sich vor, Sie blickten immer noch auf das entfernte Objekt, wobei aber der Abstand zwischen den zwei Bildern des Bleistifts etwas größer ist als der, den Sie wirklich gesehen haben. Wenn wir uns ein Bild deutlich vorstellen, neigen unsere Augen automatisch dazu, sich in den Zustand zu begeben, in dem sie sein sollten, um unser Gehirn mit dem für ein solches Bild notwendigen Material zu versorgen. Wenn Sie also Ihre Augen wieder öffnen und nun wirklich auf das entfernte Objekt blikken, werden die zwei Bleistifte am Nahpunkt – wenn Ihr Vorstellungsbild klar und deutlich gewesen ist – merklich weiter auseinander liegen als vorher. Schließen Sie die Augen noch einmal und wiederholen Sie den visuellen Vorstellungsprozeß, bei dem dieses Mal die imaginären Bleistifte noch etwas weiter voneinander entfernt sein sollten; dann öffnen Sie die Augen und überprüfen das Bild. Fahren Sie mit der Übung fort, bis Sie die beiden Bilder etwa so weit auseinandergebracht haben, wie es der normalen Distanz von einem zum anderen entsprechen würde. Wenn Sie das erreicht haben, beginnen Sie, den Kopf sehr sanft von einer Seite zur anderen zu neigen; blinzeln und atmen Sie dabei entspannt – und schauen Sie immer noch auf das entfernte Objekt. Die zwei Bilder des Bleistifts bewegen sich nun scheinbar in der dem Kopf entgegengesetzten Richtung; sie bleiben aber immer gleich weit voneinander entfernt.

Diese Übung kann im Lauf des Tages häufig wiederholt werden, wenn sie durch Augenzudecken vorbereitet und von entspanntem Blinzeln und Atmen begleitet wird. Das unmittelbare Ergebnis ist nicht Ermüdung, sondern Entspannung und Entkrampfung; und auf lange Sicht wird sich das falsch eingespielte muskuläre Gleichgewicht nach und nach korrigieren.

Augenkrankheiten

Die Kunst des Sehens ist nicht in erster Linie eine Therapie. Das heißt, sie zielt nicht direkt auf die Heilung von Augenkrankheiten ab. Ihr Ziel ist es, die normale und natürliche Funktionsweise der am Sehvorgang beteiligten Organe zu fördern – diejenige der wahrnehmenden Augen und diejenige des auswählenden, erkennenden und sehenden Gehirns. Wenn ein Organ wieder normal und natürlich arbeitet, kommt es im allgemeinen zu einer merklichen Verbesserung der Gewebe, die an seiner Funktion beteiligt sind.

Hier nun geht es um das Gewebe der Augen und der mit ihnen verbundenen Nerven und Muskeln. Wenn man die Kunst des Sehens erlernt hat und ihre einfachen Regeln gewissenhaft befolgt, kann man bei Augenkrankheiten eine gewisse Besserung erzielen. Auch wenn die Krankheit ihren Ursprung in einem anderen Teil des Körpers hat, wird die Normalisierung der visuellen Funktionsweise oft eine gewisse Besserung im Augenbereich selbst mit sich bringen. Sie kann allerdings die Krankheit nicht ganz eliminieren; und zwar aus dem einfachen Grund, daß die Störung der Augen in diesem Fall eben nur das Symptom einer Krankheit ist, die ihren Sitz an einer anderen Stelle des Körpers hat. Während der Behandlung einer solchen Grundkrankheit kann sich jedoch die Normalisierung der Sehgewohnheiten positiv auswirken und viel dazu beitragen, eine definitive Schädigung des Sehvermögens abzuwenden.

Wo der pathologische Zustand der Augen nicht Symptom einer Krankheit in einem anderen Körperteil ist, kann die Wiederherstellung der normalen und natürlichen Funktionsweise indirekt zu einer vollständigen Heilung führen. Das ist, wie gesagt, nicht anders zu erwarten; denn eine eingefahrene falsche Funktionsweise führt zu chronischer Muskelverspannung und zu einer Drosselung der Blutzirkulation. Ein Organsystem, dessen Blutversorgung ungenügend ist, wird besonders krankheitsanfällig; dazukommt, daß die einem Organ innewohnende Fähigkeit zur Regulation und Selbstheilung stark eingeschränkt ist, wenn sich einmal eine Krankheit in ihm festgesetzt hat. Jedes Verfahren, das die mit dem Sehen verbundenen psychophysischen Funktionen richtig ablaufen läßt, reduziert die Muskelverspannung, steigert die Blutzirkulation und stellt die *vis medicatrix naturae* wieder her. Diese Ergebnisse sind es im wesentlichen, wie sich gezeigt hat, die sich einstellen, wenn Menschen mit grünem Star, grauem Star, Regenbogenhautentzündung und Netzhautablösung lernen, ihre Augen und ihr Gehirn statt falsch wieder richtig zu gebrauchen. Ich wiederhole: Die Kunst des Sehens ist nicht primär eine Therapie; aber sie führt direkt oder indirekt zur Besserung oder Heilung vieler schwerer Augenkrankheiten.

17 Einige schwierige Sehsituationen

In diesem Kapitel möchte ich die Möglichkeiten aufzeigen, wie die Grundregeln der Kunst des Sehens in bestimmten häufig vorkommenden Situationen angewandt werden können – in Situationen, die gerade Menschen mit mangelhaftem Sehvermögen Schwierigkeiten bereiten.

Lesen

Wenn wir an einem Sehfehler leiden, sind wir gerade beim Lesen besonders stark der Versuchung ausgesetzt, Augen und Gehirn auf eine falsche Art und Weise einzusetzen. Unser Interesse an dem, was wir lesen, intensiviert unsere allzu menschliche Neigung: zu zielstrebig zu sein. Wir sind so sehr darauf bedacht, möglichst viel Druckschrift in möglichst kurzer Zeit zu sehen, daß wir die normalen und natürlichen Mittel, mit denen wir dieses Ziel erreichen könnten, gänzlich vernachlässigen. Wir gewöhnen uns an eine falsche Funktionsweise und schwächen dadurch unser Sehvermögen.

Als erstes sollten wir erkennen, daß wir beim Lesen sehr zielstrebig sind und daß wir mit unserer unangebrachten Zielstrebigkeit nur uns selbst zum Narren halten. Als nächstes müssen wir beim Lesen unsere Ungeduld und unsere intellektuelle Gier bezähmen.

In den Anfangsstadien der visuellen Erziehung ist es nur mit viel Ruhe und Entspannung möglich, ohne Überanstrengung zu lesen. Anders gesagt: Entspannung ist eines der wichtigsten Mittel, um unser Ziel zu erreichen, nämlich so viel gedruckten Text wie möglich in kürzester Zeit zu sehen, wobei die Ermüdung so gering wie möglich und die geistige Aufnahmefähigkeit so groß wie möglich sein sollte. Wenn wir uns also bemühen, unsere Ungeduld und unsere Voreiligkeit zu zügeln, so sollten wir dies vor allem tun, um unseren Augen und unserem Gehirn die so dringend benötigte Entspannung zu verschaffen, die wir ihnen ständig durch unsere falschen Sehgewohnheiten entziehen.

Um Augen und Gehirn angemessen zu entspannen, sollten

wir folgendes einfache Verfahren während des Lesens anwenden:

Erstens: Am Ende jedes Satzes oder jedes zweiten Satzes schließen Sie die Augen für ein bis zwei Sekunden, »lassen los« und stellen sich das zuletzt gelesene Wort und das darauffolgende Satzzeichen bildlich vor. Wenn Sie Ihre Augen wieder öffnen, betrachten Sie zuerst dieses Wort und das Satzzeichen; sie werden Ihnen nun eindeutig klarer erscheinen als beim ersten Lesen. Erst jetzt lesen Sie den nächsten Satz.

Zweitens: Nachdem Sie ein bis zwei Seiten gelesen haben, machen Sie eine Pause, um für ein paar Minuten die Augen mit den Handtellern zu bedecken. Für Menschen, die immer nur den Endzielen ihres Tuns nachjagen, wird dies eine fast unerträgliche Auflage sein. Sie sollten sich aber darüber klarwerden, daß solche Unterbrechungen sie ihrem Ziel leichter und schneller näher bringen. Und auch darüber, daß diese »Kasteiung« ihrer Ungeduld ihrem Charakter möglicherweise sehr förderlich ist!

Drittens: Wenn die Sonne scheint, sonnen Sie die geschlossenen und anschließend die geöffneten Augen, bedecken Sie danach mit den Handtellern und sonnen sie nochmals mit geschlossenen Lidern. Wenn die Sonne nicht scheint, dann verwenden Sie das Licht einer starken elektrischen Lampe.

Viertens: Setzen Sie sich beim Lesen an eine Stelle, von wo aus Sie in verhältnismäßig großem Abstand einen Wandkalender oder ein anderes Ihnen vollkommen vertrautes Objekt mit großgedruckten Buchstaben oder Zahlen sehen können. Blikken Sie gelegentlich von Ihrem Buch auf und betrachten Sie diese Buchstaben oder Zahlen analytisch. Wenn Sie bei Tage lesen, schauen Sie ab und zu durch das Fenster auf weit entfernte Gegenstände.

Fünftens: Erinnerung und Vorstellungskraft lassen sich ebenfalls zur Verbesserung der Lesefähigkeit einsetzen. Machen Sie von Zeit zu Zeit eine Pause, »lassen Sie los« und erinnern Sie sich an einen einzelnen Buchstaben oder an ein Wort, das Sie soeben gelesen haben. Betrachten Sie es mit Ihrem inneren Auge vor seinem weißen Hintergrund. Dann stellen Sie sich vor, dieser Hintergrund sei weißer, als Sie ihn tatsächlich gesehen haben. Öffnen Sie die Augen wieder, betrachten Sie den Hintergrund des wirklichen Buchstabens und versuchen Sie, ihn so weiß zu sehen, wie vorher den in Ihrer Phantasie. Schließen Sie die Augen noch einmal und beginnen Sie von vorne. Nach zwei bis drei Wiederholungen bedecken Sie die Augen für kurze Zeit mit den Handtellern und lesen dann weiter.

Sie können auch folgende Alternative wählen: Schließen Sie die Augen, erinnern Sie sich an einen Buchstaben, nehmen Sie einen imaginären Bleistift und bringen Sie oben und unten oder rechts und links am äußeren Rand des Buchstabens einen Punkt von intensiverer Schwärze an. Wandern Sie mit Ihrer Aufmerksamkeit sechsmal von einem Punkt zum anderen; dann öffnen Sie die Augen und stellen sich vor, Sie sähen ähnliche schwärzere Punkte an dem wirklichen Buchstaben, und führen nochmals die Blickverschiebungen durch. Wiederholen Sie das Ganze mehrmals, bedecken Sie die Augen mit den Handtellern und lesen Sie weiter.

Sechstens: Im Kapitel über die Weitsichtigkeit habe ich darüber berichtet, wie alterssichtige Menschen ihre Lesefähigkeit verbessern können, indem sie ohne Anstrengung sehr kleine Druckschrift betrachten – speziell die weißen Zwischenräume zwischen den Zeilen. Diese Übung ist nicht nur für ältere Leute mit abnehmender Sehkraft von Nutzen. Jeder, der Schwierigkeiten beim Lesen hat, kann diese Übung mit gutem Erfolg vor und während des Studiums eines Textes durchführen.

Soviel über die einfachen Entspannungstechniken, mit denen man das Lesen eines Buchs oder einer Zeitung einleiten und unterbrechen sollte. Lassen Sie uns nun untersuchen, wie man das Lesen selbst am besten durchführt.

Wie in allen anderen Sehsituationen sind auch hier Überanstrengung, fehlgerichtete Aufmerksamkeit und Starren die großen Gefahren für das normale Sehen. Um sie zu beseitigen, muß man sich bemühen, während des Lesens folgende einfache Regeln einzuhalten:

Erstens: Halten Sie Ihren Atem nicht an und lassen Sie Ihre Augenlider nicht starr und unbeweglich werden. Blinzeln Sie häufig und atmen Sie ruhig, regelmäßig und tief.

Zweitens: Starren Sie nicht und versuchen Sie nicht, eine ganze Zeile oder einen ganzen Satz auf einmal zu sehen. Lassen Sie die Augen und die Aufmerksamkeit ständig wandern und bringen Sie damit die zentrale Fixation ins Spiel. Das gelingt Ihnen am besten, wenn Sie Ihre Augen ununterbrochen in dem weißen Zwischenraum hin- und herlaufen lassen, der direkt unter der von Ihnen gelesenen Zeile liegt. Die Buchstaben und Wörter werden so in einer Folge von kurzen Blickbewegungen eingefangen. Diese Lesetechnik, bei der die Augen schnell in den weißen Zwischenräumen zwischen den Zeilen hin- und herwandern, mag anfangs etwas irritierend sein. Aber nach einer Weile wird man entdecken, daß sie viel dazu beiträgt, deutlich und ohne Anstrengung zu lesen. Buchstaben und Wörter sind leichter zu sehen, wenn sie sozusagen vorbeifliegen, als wenn man sie durch ein rigides Starren festhält; sie sind leichter zu sehen, wenn sie als Unterbrechung des weißen Hintergrunds aufgefaßt werden, als wenn sie als Objekte von eigenständiger Geltung betrachtet und entziffert werden müssen.

Drittens: Runzeln Sie nicht die Stirn beim Lesen. Stirnrunzeln ist ein Symptom nervöser Muskelverspannung im Augenbereich, die durch fehlgerichtete Aufmerksamkeit und angestrengtes Sehen erzeugt wird. Das Stirnrunzeln verschwindet ganz von selbst, wenn Sie die dynamische Entspannung erlernt und eine normale Funktion der Sehorgane erreicht haben. Wenn Sie diese schlechte Gewohnheit von Zeit zu Zeit absichtlich blockieren, können Sie sie viel schneller zum Verschwinden bringen und die damit verbundenen physischen und psychischen Spannungen schneller abbauen. Konzentrieren Sie sich also mitten im Lesen plötzlich auf die Stirn und ertappen Sie Ihre Muskeln bei dem verbotenen Spiel. Dann schließen Sie die Augen eine Weile, »lassen los« und glätten bewußt Ihre Stirn.

Viertens: Sie sollten die Augenlider beim Lesen nicht halb schließen. Dieses halbe Schließen der Augenlider hätte zwar im Gegensatz zum Stirnrunzeln einen Sinn: Wir verkleinern nämlich dadurch die Größe des normalen Gesichtsfelds und eliminieren so einige der ablenkenden Reize und einen Teil des diffusen Lichts, die von den nicht direkt betrachteten Abschnitten der Druckseite ins Auge einfallen. Die meisten fehlsichtigen Menschen lesen durch einen engen Sehschlitz zwischen ihren Wimpern; besonders aber neigen diejenigen dazu, die in der Hornhaut oder in anderen normalerweise transparenten Geweben des Auges Trübungen haben. Solche Trübungen wirken sich in der gleichen Weise aus wie die Wasserdampfpartikel, die an einem Herbstmorgen in der Luft schweben: Sie zerstreuen das Licht, so daß eine Art leuchtender Nebel entsteht, durch den hindurch man nur mit Mühe deutlich sehen kann. Ein teilweises Schließen der Lider bewirkt, daß ein großer Teil des beleuchteten Gesichtsfelds ausgeblendet wird und sich so die Dichte des durch die Lichtstreuung hervorgerufenen Nebels verringert.

Die Verengung der Lidspalte verlangt aber eine dauernde Muskelkontraktion. Diese Kontraktion erhöht die Spannung im Augenbereich und spiegelt sich in einer Intensivierung der psychischen Anspannung. Durch halbgeschlossene Augenlider zu sehen, ist ohne Zweifel eine Möglichkeit, eine sofortige Verbesserung des Sehvermögens zu erzielen; aber diese unmittelbare Verbesserung muß später teuer bezahlt werden; denn sie ist nur um den hohen Preis zunehmender Verkrampfung und Ermüdung und weiterer langsamer Abnahme der Sehkraft zu erreichen. Es ist deshalb sehr wichtig, eine Methode zu finden, mittels derer diese überaus unerwünschte Neigung korrigiert werden kann. Die bewußte Entspannung der Lider und der Versuch, sie locker und in normaler Stellung offenzuhalten, reicht nicht aus. Wahrscheinlich wird dadurch das Sehvermögen sogar schlechter als zuvor, so daß wir aus reinem Selbstschutz heraus in unsere alten, schlechten Gewohnheiten zurückfallen müssen.

Glücklicherweise gibt es jedoch eine sehr einfache mechanische Methode, mit der man denselben Effekt erzielen kann wie mit halbgeschlossenen Augen. Anstatt die ablenkenden Reize und den unnötigen Lichteinfall beim Empfänger, das heißt, im Auge, zu eliminieren, können wir sie an der Quelle ausschalten – auf der vor uns liegenden Buchseite. Alles, was man dazu braucht, ist ein Blatt dickes, schwarzes Papier, ein Lineal und ein scharfes Messer. Nehmen Sie so viel von dem schwarzen Papier, wie nötig ist, um, sagen wir, die Hälfte einer durchschnittlich großen Buchseite zu bedecken. In die Mitte dieses Blatts schneiden Sie eine Öffnung, die etwas länger ist als eine Zeile und etwas breiter als zwei Zeilen. (Die Breite dieses Schlitzes kann je nach den individuellen Wünschen und den verschiedenen Größen der Druckschrift variiert werden. Das kann man mit einem Streifen schwarzen Papiers machen, den man vom oberen Teil der Öffnung herunterzieht, bis diese die gewünschte Breite besitzt. An dieser Stelle befestigt man den Streifen dann mit Büroklammern.)

Wenn alles bereit ist, legen Sie das schwarze Papier auf die Buchseite, den unteren Rand des Schlitzes ungefähr drei Millimeter unterhalb der Zeile, die Sie gerade lesen. Wenn Sie beim Ende der Zeile angelangt sind, bewegen Sie den Schlitz nach unten zur nächsten Zeile und so weiter.

Wer beim Lesen irgendwelche Schwierigkeiten hat, wird diesen fast lächerlich einfachen kleinen Trick hilfreich finden. Wer an Trübungen der Hornhaut oder anderer Augengewebe leidet, kann damit seine Sehschärfe beim Lesen verdoppeln – und zwar mit ganz geöffneten, entspannten Augenlidern.

Wenn wir mit einem Sehschlitz lesen, ist es für uns einfacher, jene Technik gegen das Starren einzuhalten, über die ich bereits gesprochen habe – jenes schnelle Hin- und Herblicken in dem weißen Raum unter der Druckzeile. Die gerade Begrenzung des schwarzen Papiers wirkt wie eine Art Schiene, an der die Augen leicht und mühelos entlanggleiten können. Überdies wird die Aufgabe, sich die weißen Linien zwischen den Zeilen weißer vorzustellen, als sie in Wirklichkeit sind, erleichtert, wenn diese weißen Zwischenräume zusammen mit einem kontrasterhöhenden schwarzen Rahmen betrachtet (und danach erinnert) werden.

In gewissen Fällen kann durch die Verwendung eines kurzen, nur etwa zwei Zentimeter langen Leseschlitzes die Gewohnheit, ständig zu viel Text auf einmal deutlich sehen zu wollen, schnell abgebaut werden. Ein solcher Schlitz läßt den Benutzer nur soviel von einer bestimmten Zeile sehen, wie die *macula lutea* aufnehmen kann; und das schnelle Hin- und Herblicken innerhalb dieses begrenzten Raumes wird die *fovea* aktivieren. Auf diese Weise wird das zentrale Gebiet der Netzhaut so gut stimuliert und zum Funktionieren gebracht, wie dies zuvor bei dem vergeblichen Versuch, ganze Sätze und Zeilen auf einmal deutlich zu sehen, nie möglich war. Der kurze Schlitz muß auf der Linie schnell von Wort zu Wort bewegt werden; anfangs wird das Lesen damit wahrscheinlich als ziemlich unangenehm empfunden werden. Um dieses Unbehagen zu verringern, wechseln Sie mit dem langen und dem kurzen Schlitz ab. Es ist nicht schwer, für kurze Zeit etwas Unangenehmes auf sich zu nehmen, vor allem wenn man daran denkt, daß man dadurch gute visuelle Funktionsgewohnheiten gewinnt.

Das Betrachten von unbekannten Objekten

Es handelt sich dabei nicht nur um die vielleicht anstrengendste Sehsituation, sondern auch um eine, die häufig vorkommt. Jedesmal, wenn wir einkaufen gehen, ein Museum besuchen, in einer Bibliothek ein Buch oder in Schubladen und Schränken einen verlegten Gegenstand suchen, einen Abstellraum oder eine Dachkammer aufräumen, Koffer ein- und auspacken oder eine Maschine reparieren, haben wir uns visuell intensiv mit Gegenständen zu befassen, die uns wenig vertraut sind. Es stellt sich das Problem, wie man Überanstrengung und Ermüdung, die gewöhnlich mit einer solchen visuellen Beschäftigung verbunden sind, vermeiden oder vermindern kann.

Zu allererst sorgen Sie dafür – wenn dies in Ihrer Macht steht –, daß das, was Sie anschauen, gut beleuchtet ist. Ziehen Sie die Vorhänge zurück, schalten Sie das Licht ein, benützen Sie eine Taschenlampe. Wenn Sie in der Öffentlichkeit etwas zu betrachten haben, werden Sie mit der Beleuchtung auskommen müssen, die andere als genügend erachten, die aber fast mit Sicherheit nicht hinreichend sein wird.

Zweitens: Widerstehen Sie der Neigung, zu starren, und versuchen Sie nicht, mehr als einen kleinen Ausschnitt des Gesichtsfelds scharf zu sehen. Betrachten Sie das, was vor Ihnen liegt, analytisch und halten Sie die Augen und die Aufmerksamkeit ununterbrochen in Bewegung.

Drittens: Halten Sie nicht den Atem an und blinzeln Sie häufig.

Viertens: Machen Sie so oft wie möglich eine Pause, entweder indem Sie die Augen schließen, »loslassen« und sich an ein bekanntes Objekt erinnern, oder, noch besser, indem Sie die Augen mit den Handtellern zudecken. Wenn möglich, sonnen Sie Ihre Augen von Zeit zu Zeit, oder lassen Sie sie vom Licht einer elektrischen Lampe bestrahlen.

Wenn Sie diese einfachen Regeln befolgen, sollte es Ihnen möglich sein, einen solchen visuellen Härtetest ohne ernsthafte Ermüdung, Beschwerden oder Überanstrengung durchzustehen.

Filme

Für viele fehlsichtige Menschen ist ein Kinobesuch mit großer Ermüdung und allerlei Beschwerden verbunden. Das muß nicht so sein. Filme überanstrengen die Augen nicht, wenn sie in der richtigen Weise angeschaut werden; sie können sogar zu einer Verbesserung des Sehvermögens beitragen. Hier sind die Regeln, die befolgt werden müssen, wenn ein Filmabend zum Vergnügen und nicht zur Tortur werden soll.

Erstens: Unterlassen Sie es, zu starren. Versuchen Sie nicht, die ganze Filmleinwand auf einmal zu sehen. Versuchen Sie nicht, irgendein Detail »festzuhalten«. Im Gegenteil, halten Sie Ihre Aufmerksamkeit und Ihre Augen ununterbrochen in Bewegung.

Zweitens: Vergessen Sie nicht, regelmäßig zu atmen und zu blinzeln.

Drittens: Nehmen Sie während langweiliger Sequenzen die Gelegenheit wahr, sich auszuruhen, indem Sie die Augen für einige Sekunden schließen und »loslassen«. Sogar während der aufregenden Passagen des Films können Sie gelegentlich Zeit finden, einen Moment die Augen von der erleuchteten Leinwand abzuwenden und in die Dunkelheit ringsum zu blicken. Benützen Sie jede Unterbrechung im Film zum Zudecken der Augen mit den Handtellern.

Im Kapitel über die Kurzsichtigkeit wurde bereits eine Möglichkeit beschrieben, wie Filme zur Verbesserung des Sehvermögens benützt werden können. Sie können auch auf andere

Weise hilfreich sein, vor allem weil sie uns erlauben, mit vielen Gegenständen und Situationen des täglichen Lebens visuell vertraut zu werden.

In einem Essay von Roger Fry über die Beziehung zwischen Leben und Kunst gibt es einen Abschnitt, der auf äußerst interessante Weise erhellt, wie Filme zur Verbesserung mangelhafter Sehkraft eingesetzt werden können. Fry schreibt in »Vision and Design«: »Wir können im Kino merkwürdige Beobachtungen über das Wesen der uns im Film vorgespielten Wirklichkeit machen. Diese ähnelt dem wirklichen Leben in fast jeder Beziehung, außer daß das fehlt, was die Psychologen die angeborene Reaktion auf Sinneswahrnehmungen nennen, das heißt, das sinnvolle, durch die Sinneswahrnehmung ausgelöste Verhalten. Wenn wir in einem Film ein Pferd mit einem Wagen durchgehen sehen, brauchen wir nicht daran zu denken, auszuweichen oder ihm uns heldenhaft entgegenzustellen. Die Folge ist zunächst, daß wir das Ereignis viel klarer *sehen*; wir sehen eine Anzahl durchaus interessanter, aber relativ unwichtiger Details, die im wirklichen Leben nie in unser vollkommen auf die ablaufende Reaktion konzentriertes Bewußtsein hätten vordringen können. Ich erinnere mich, in einem Film die Ankunft eines Zugs auf einem Bahnhof gesehen zu haben und wie die Menschen aus den Waggons ausstiegen. Es gab da keinen Bahnsteig, und zu meiner größten Überraschung sah ich, wie sich mehrere Leute, nachdem sie ausgestiegen waren, ein paarmal um sich selbst drehten, wohl um sich zu orientieren; ein fast lächerliches Verhalten, das ich bei den tausend Gelegenheiten im wirklichen Leben, bei denen sich eine solche Szene vor meinen Augen abspielte, nicht bemerkt hatte. Tatsache ist, daß man auf einem Bahnhof nie nur ein Zuschauer des Schauspiels ist, sondern ein Darsteller in dem Drama um das Gepäck oder den Sitzplatz; man sieht in der Wirklichkeit nur soviel, wie man für die entsprechende Handlung gerade benötigt.«

Diese Zeilen drücken eine sehr wichtige Wahrheit aus. Es besteht ein fundamentaler psychologischer Unterschied zwischen einem Zuschauer und einem Handelnden, zwischen dem Betrachten eines Kunstwerks und dem Erleben eines Vorgangs im wirklichen Leben (letzteres gelingt nur selten ohne Eingreifen). Zuschauer sehen mehr und deutlicher als Handelnde. Aufgrund dieser Tatsache ist es möglich, mit Hilfe von Filmen das Sehvermögen für Gegenstände und Ereignisse des wirklichen Lebens zu verbessern. Da man nicht selbst an der Handlung im Film teilnimmt, kann man genauer als im wirklichen Leben sehen, wie die Leute auf der Leinwand so gewöhnliche Dinge tun wie eine Tür öffnen, in ein Taxi steigen, sich bei Tisch von den Speisen nehmen usw. Werden Sie sich dessen bewußt, daß Sie auf der Filmleinwand mehr sehen als normalerweise im täglichen Leben, und versuchen Sie nach der Vorstellung, sich an alles, was Sie dort gesehen haben, zu erinnern. Dadurch werden Ihnen solche gewöhnlichen Handlungen besser vertraut; und diese bessere Vertrautheit wird dazu führen, daß Sie in Zukunft in ähnlichen Situationen des wirklichen Lebens besser sehen können.

Nahaufnahmen können von Menschen mit mangelhaftem Sehvermögen dazu verwendet werden, eines ihrer größten Handicaps zu überwinden – nämlich die Unfähigkeit, Gesichter zu erkennen oder die feinen Nuancen zu erfassen, die normalerweise durch den Gesichtsausdruck vermittelt werden. Im wirklichen Leben kommen fünf Meter hohe und zweieinhalb Meter breite Gesichter nicht vor; aber auf der Filmleinwand sind sie eine der häufigsten Erscheinungen. Benützen Sie diese Tatsache dazu, Ihr Sehvermögen für wirkliche, normalgroße Gesichter zu verbessern. Betrachten Sie das gigantische Gesicht sorgfältig, aber immer analytisch. Starren Sie nie gebannt auf die Großaufnahme eines Gesichts, selbst wenn dieses Gesicht zufällig Ihrem Lieblingsstar gehören sollte. Betrachten Sie genau alle Details, nehmen Sie die Struktur der Knochen wahr, die Form des Haaransatzes, und beobachten Sie, wie sich der Kopf auf dem Hals und die Augen in ihren Höhlen bewegen. Und wenn das riesige Gesicht Kummer, Leidenschaft, Zorn, Zweifel und alles übrige ausdrückt, folgen Sie den Bewegungen der Lippen und der Augen, der Wangenmuskeln und Augenbrauen mit der größten Aufmerksamkeit. Je sorgfältiger und analytischer Sie all dies betrachten, desto besser und deutlicher werden Ihre Erinnerungen an die gängigen Ausdrucksarten des Gesichts sein und desto leichter wird es später für Sie, einen entsprechenden Ausdruck auf dem Gesicht eines Menschen zu erkennen.

18 Beleuchtungsbedingungen

Normalsichtige Menschen, die bei der Wahrnehmung von Sinneseindrücken und bei deren Verarbeitung dynamisch entspannt sind, können es sich in hohem Maße leisten, die äußeren Bedingungen des Sehvorgangs zu vernachlässigen. Nicht so diejenigen, deren Sehvermögen defekt ist. Für sie sind günstige äußere Bedingungen von größter Wichtigkeit. Die Vernachlässigung dieser Bedingungen kann die Sehbehinderung verstärken oder, wenn die Betroffenen einen visuellen Schulungskurs absolviert haben, die Normalisierung verzögern.

Die wichtigste äußere Bedingung für gutes Sehen ist eine angemessene Beleuchtung. Wenn die Beleuchtung ungenügend ist, können Menschen mit mangelhaftem Sehvermögen kaum eine Sehverbesserung erzielen; sehr leicht aber eine Sehverschlechterung.

Nun erhebt sich die Frage: Was *ist* eine angemessene Beleuchtung?

Die beste Beleuchtung, die es überhaupt gibt, ist der strahlende Sonnenschein an einem klaren Sommertag. Wenn Sie in solchem Sonnenschein lesen, wird die Intensität des Lichts, das auf die Seite Ihres Buchs fällt, ungefähr hunderttausend Lux betragen – das heißt, direkt einfallendes Sonnenlicht im Sommer ist etwa so stark wie das Licht, das von zehntausend Wachskerzen aus einer Distanz von dreißig Zentimetern auf die Buchseite geworfen wird. Wechseln Sie nun vom vollen Sonnenlicht in den Schatten eines Baums oder eines Hauses. Das Licht auf Ihrer Buchseite wird immer noch eine Intensität von ungefähr zehntausend Lux besitzen. An bedeckten Tagen besitzt das von den weißen Wolken zurückgeworfene Licht eine Intensität von einigen zehntausend Lux; und das Wetter muß sehr schlecht werden, bis die Intensitäten im Freien allgemein auf zehntausend Lux heruntergehen.

In Wohnräumen beträgt die Lichtintensität in der Nähe eines nicht verdunkelten Fensters etwa tausend bis fünftausend Lux, je nach der Helligkeit des Tags. Drei bis fünf Meter vom Fenster entfernt kann die Beleuchtung auf ganze zwanzig Lux oder weniger absinken, wenn das Zimmer mit dunklen Tapeten und Möbeln ausgestattet ist.

Die Stärke der Beleuchtung nimmt mit dem Quadrat der Entfernung ab. Eine Sechzig-Watt-Lampe erzeugt in einem Abstand von dreißig Zentimetern etwa achthundert Lux, in sechzig Zentimetern etwa zweihundert Lux, in neunzig Zentimetern neunzig Lux und in drei Meter Abstand nur etwa acht Lux. Aufgrund dieses raschen Abfalls der Beleuchtungsstärke mit zunehmender Entfernung herrschen an den meisten Stellen in einem durchschnittlich beleuchteten Zimmer sehr schlechte Lichtverhältnisse. Es gibt viele Menschen, die bei einer Beleuchtung von zehn oder zwanzig Lux lesen und andere Formen der Naharbeit ausführen. In öffentlichen Gebäuden wie Schulen oder Bibliotheken kann man sich schon glücklich schätzen, wenn eine Beleuchtung von fünfzig Lux zur Verfügung steht.

Daß es überhaupt möglich ist, Naharbeit bei einer Beleuchtung zu verrichten, die im Vergleich mit dem Tageslicht außerhalb geschlossener Räume unglaublich gering ist, ist ein bemerkenswertes Indiz für die natürliche Ausdauer und Flexibilität der wahrnehmenden Augen und des erkennenden Gehirns. Diese Flexibilität und Ausdauer ist so groß, daß ein Mensch mit gesunden Augen, der seine Sehorgane in der von der Natur vorgesehenen Art und Weise einsetzt, sich lange Zeit schlechten Beleuchtungsbedingungen unterziehen kann, ohne Schaden davonzutragen. Bei Menschen, die an einer organischen Augenkrankheit leiden oder deren Sehfunktion so unnatürlich ist, daß sie nur mit Mühe und Anstrengung sehen können, werden sich die gleichen Bedingungen katastrophal auswirken.

In seinem Buch »Seeing and Human Welfare« hat Dr. Lukkiesh einige sehr interessante Experimente beschrieben, die die unerwünschten Auswirkungen schlechter Beleuchtung demonstrieren. Diese Experimente waren darauf angelegt, die Muskelspannung (einen präzisen Indikator für »Überanstrengung, Ermüdung, vergebliche Anstrengung und Energieverlust«, wie Dr. Luckiesh ausführt) unter wechselnden Lichtverhältnissen zu messen. Die Aufgabe der Versuchspersonen bei diesen Experimenten bestand darin zu lesen. Dabei wurde die Intensität der Muskelspannung von einem Apparat registriert, der den von zwei Fingern der linken Hand ausgeübten Druck auf einen großen flachen Knopf maß. Die Versuchspersonen wurden über die Natur und den Zweck der Untersuchung im unklaren gelassen; ja sie wurden sogar bewußt auf eine falsche Spur gelenkt. Dies schied die Möglichkeit einer bewußten oder willentlichen Einflußnahme auf die Ergebnisse aus. Eine sehr große Zahl von Versuchen zeigte schlüssig, daß in allen Fällen »die nervöse Muskelspannung stark abnahm, wenn die Lichtintensität von zehn auf tausend Lux gesteigert wurde. Es wurden keine höheren Intensitäten geprüft, weil die tausend Lux weit über den üblichen Beleuchtungsstärken des täglichen Lebens liegen. Alles deutete darauf hin, daß die Muskelspannung durch eine Steigerung der Beleuchtung auf zehntausend Lux weiter abgenommen hätte.« Bei anderen Tests wurden die Versuchspersonen einer schlecht plazierten Lichtquelle ausgesetzt, die sie blendete. Diese Blendung war nicht übermäßig stark – sie entsprach der durchschnittlichen Blendung, der Millionen von Menschen gewöhnlich bei Arbeit und Spiel ausgesetzt sind. Und dennoch genügte sie völlig, die verräterische nervöse Muskelspannung auffallend ansteigen zu lassen.

Es gibt, soviel ich weiß, nur eine Art elektrischer Lampe, die ohne übermäßigen Stromverbrauch eine Lichtstärke von zehntausend Lux entwickelt. Es ist der im Kapitel über die Sonnenbestrahlung beschriebene Hundertfünfzig-Watt-Punktstrahler. Die parabolische, mit Silber beschichtete Rückwand dieser Lampe reflektiert und bündelt das Licht zu einem kraftvollen Strahl, in dem Lesen, Nähen und andere Arbeiten, die große Aufmerksamkeit und präzises Sehen erfordern, unter den bestmöglichen Voraussetzungen durchgeführt werden können.

Menschen mit mangelhaftem Sehvermögen sollten während des Tags stets die bestmögliche Beleuchtung wählen. Wann immer möglich, sollte Naharbeit an einem Fenster oder im Freien ausgeführt werden. Ich selbst habe großen Nutzen daraus gezogen, ohne Unterbrechung über lange Zeiträume in vollem Sonnenlicht zu lesen, das entweder direkt auf die Buchseite fiel oder, wenn es in der Sonne zu heiß war, über einen verstellbaren Spiegel geleitet wurde, so daß ich im Schatten oder im Haus sitzen konnte und dennoch in den Genuß einer Beleuchtung von siebzig- bis achtzigtausend Lux kam. Nachdem ich es aufgegeben hatte, eine Brille zu tragen, konnte ich einige Monate lang entweder nur in vollem Sonnenlicht oder unter einem Punktstrahler bequem lesen. Als sich aber mein Sehvermögen besserte, kam ich auch mit einer weniger intensiven Beleuchtung aus. Ich ziehe jedoch immer noch den Punktstrahler allen anderen künstlichen Lichtquellen vor und arbeite oft in vollem Sonnenlicht.

Beim Lesen in vollem Sonnenlicht ist es notwendig, die Augen durch periodisches kurzes Sonnen und anschließendes Zudekken mit den Handtellern völlig entspannt zu halten. Viele Leute werden es auch als Erleichterung empfinden, wenn sie beim Lesen, wie in einem früheren Kapitel beschrieben, ein schwarzes Papier mit einer Öffnung benutzen. Mit diesen Vorsichtsmaßnahmen ist das Lesen bei hunderttausend Lux für sehgeschädigte Menschen sehr hilfreich. Das Bild der intensiv beleuchteten Druckschrift, das auf das Sehzentrum der Netzhaut fällt, stimuliert auch eine durch gewohnheitsmäßigen falschen Gebrauch träge und unempfindlich gewordene *macula*. Gleichzeitig üben die Klarheit und die Deutlichkeit der von der Sonne hell beleuchteten Buchstaben einen äußerst heilsamen Einfluß auf das Gehirn aus. Die mit dem Sehvorgang verbundene Ängstlichkeit wird gemildert, und an ihre Stelle tritt das Vertrauen in die Fähigkeit, die durch die Augen hereinkommenden *sensa* richtig zu interpretieren. Dank dieses Vertrauens und dank der erfolgreichen Stimulierung der träge gewordenen *macula* kann man nach einer gewissen Zeit bei weniger intensiver Beleuchtung ebensogut sehen. Das Lesen bei hunderttausend Lux dient als Vorbereitung und Erziehung zum Lesen bei tausend Lux.

Gewisse Menschen reagieren auffällig empfindlich auf intensives Licht – manchmal aufgrund von Augenkrankheiten, manchmal aufgrund eingefleischter falscher Sehgewohnheiten, manchmal aufgrund allgemeiner Gesundheitsstörungen. In diesen Fällen wäre es nicht klug, sofort bei hunderttausend Lux zu lesen. Diese Menschen sollten sich mit Hilfe der im Kapitel über die Sonnenbestrahlung beschriebenen Techniken nach und nach an immer größere Beleuchtungsintensitäten gewöhnen; nicht nur bei geschlossenen und geöffneten Augen, sondern auch beim Lesen eines Textes. So können sie mit der Zeit die Vorteile einer guten Beleuchtung genießen – Vorteile, um die sie ihre organische oder funktionelle Lichtscheu gebracht hat, indem sie sie dazu gezwungen hat, sich in ewigem Zwielicht mit dem Sehen abzumühen.

Es scheint mir der Mühe wert, zum Abschluß noch einige Worte über die in Fabriken, Läden und Büros wegen ihres geringen Stromverbrauchs weit verbreiteten Leuchtstoffröhren zu verlieren. Es gibt Beweise genug, daß diese Art der Beleuchtung das Sehvermögen mancher Leute, die Naharbeit verrichten müssen, ungünstig beeinflussen kann. Ein Grund dafür muß in der Zusammensetzung des Lichts selbst gesucht werden, das ja nicht von einer weißglühenden Quelle ausgeht wie das natürliche Sonnenlicht oder das Licht einer Birne mit Glühfäden. Das ist aber nicht alles. Eine Fluoreszenzbeleuchtung wirft fast keine Schatten. Infolgedessen fehlt in den mit Leuchtstoffröhren beleuchteten Räumen eindeutig das für das normale Sehen so wichtige Element des Kontrasts. Schatten helfen uns aber bei der Beurteilung von Entfernungen, Formen und Strukturen. Wenn keine Schatten vorhanden sind, ist uns einer der wertvollsten Schlüssel zur Wirklichkeit entzogen, und die genaue Interpretation der *sensa* wird bedeutend schwieriger. Dies ist einer der Gründe, warum unsere Augen an Tagen mit gleichförmiger Wolkendecke so viel schneller ermüden als an Tagen mit strahlendem Sonnenschein. Die Fluoreszenzbeleuchtung bewirkt einen ähnlichen Effekt wie das von den hohen dünnen Wolken erzeugte diffuse Streulicht. Für die Augen, die so entwickelt sind, daß sie sich an das Licht weißglühender Quellen anpassen, und für das Gehirn, das gelernt hat, die Schatten als Hilfsmittel zur Wahrnehmung, Deutung und Beurteilung von Gegenstände zu benützen, kann eine

Fluoreszenzbeleuchtung nur irritierend und hinderlich sein. Das Erstaunliche an der Sache ist, daß nur relativ wenige Menschen ungünstig auf diese Art der Beleuchtung reagieren.

Wenn Sie zufällig zu den zehn oder fünfzehn Prozent Unglücklicher gehören, die nicht unter fluoreszierendem Licht arbeiten können, ohne an einer Rötung der Augen, an geschwollenen Lidern und einer Verminderung des Sehvermögens zu leiden, dann ist natürlich das beste, was Sie tun können, sich eine Arbeitsstelle zu suchen, wo Sie im Freien oder im Licht von Glühlampen arbeiten können. Die zweitbeste Möglichkeit besteht darin, häufig die Augen mit den Handtellern zuzudecken und so oft wie möglich den mit Fluoreszenzlicht beleuchteten Raum zu verlassen, um die Augen einige Minuten zu sonnen. Nachts lassen Sie anstelle des Sonnenlichts das Licht einer starken Glühlampe auf die geschlossenen und dann die geöffneten Augen einwirken. Filme sind ein anderes ausgezeichnetes therapeutisches Mittel. In der richtigen Weise angeschaut, wirken sie wunderbar beruhigend und erfrischend auf die Augen, die schlecht auf die besondere Zusammensetzung des fluoreszierenden Lichts der Leuchtstoffröhren reagieren; auch das Gehirn kann sich dabei von der kontrastarmen und schattenlosen Welt, in der man es zu arbeiten zwingt, sehr gut erholen.

Anhang 1

Nachdem ich das Manuskript dieses Buchs fertiggestellt hatte, erhielt ich den folgenden Artikel, der als anonyme Veröffentlichung im »British Medical Journal« vom 13. Dezember 1941 erschienen ist:

Perfektes Sehen ohne Brille

»Im Journal dieser Woche weist ein Brief von Dr. J. Parmess auf einen von Dr. Julian Huxley kürzlich verbreiteten Bericht über die Korrektur von Fehlsichtigkeiten *ohne* Brillengläser hin. Bevor man eine solche Praxis verurteilt, muß man gerechterweise die sie unterstützenden Beweise überprüfen. Es gibt eine Vielzahl solcher Methoden, die alle auf Hypothesen unterschiedlicher Qualität beruhen. Das von Dr. W. H. Bates in seinem Buch ›Cure of Imperfect Sight by Treatment Without Glasses‹ (New York, 1920) dargelegte Behandlungssystem hat gegenüber ähnlichen Systemen den Vorzug, daß seine Prinzipien öffentlich dargelegt worden sind. Bates behauptet, der Refraktionszustand (Verhältnis der Brechungskraft von Hornhaut und Linse zur Achsenlänge des Auges, Anm. des Übers.) der Augen sei dynamisch und verändere sich ständig. Die Änderung der Refraktion werde durch Nerven und Gewebe der äußeren Augenmuskeln herbeigeführt, die Linse spiele bei der Akkommodation keine Rolle. Die Entstehung von Sehfehlern sei ein psychisches Phänomen, eine Störung der Hirnzentren, die zuerst auf die *macula* und dann auf die ganze Netzhaut übergreife. Die Behandlung zielt darauf ab, eine ›zerebrale Entspannung‹ herbeizuführen, denn wenn das Gehirn in Ruhe sei, sei auch das Sehvermögen normal. Im Verlauf seiner sich über dreißig Jahre erstreckenden Arbeit habe Bates nur wenige Leute gefunden, die länger als einige Minuten ›perfekt sehen‹ konnten. Er habe oft beobachtet, daß ›die Refraktion ein halbes dutzendmal oder mehr pro Sekunde wechselte, und zwar in einer Variationsbreite von zwanzig Dioptrien, von der Kurzsichtigkeit bis zum Normalzustand‹. Da kaum ein Augenarzt die notwendige Fähigkeit und Schnelligkeit besitzt, ein halbes Dutzend oder mehr Refraktionswechsel innerhalb einer Sekunde zu beobachten (›Blitzretinoskopie‹ könnte man dies nennen), ist kaum jemand in der Lage, diesem von Bates aufgestellten Lehrsatz zu widersprechen. Und die Augenärzte halten immer noch an der auf soliden physiologischen Beweisen beruhenden Theorie fest, daß die Akkommodation durch eine Veränderung des Krümmungsradius der Linse bewirkt werde. Bates erklärt den Einfluß des Gehirns auf die Refraktion mit der Wirkung, die angeblich die Überanstrengung ausübe. Da Überanstrengung mit seelischer Unausgewogenheit verbunden ist, treten bei allen Zuständen, die eine solche Unausgewogenheit mit sich bringen, Refraktionsfehler auf. So hatte zum Beispiel ein fünfundzwanzigjähriger Mann keinen Refraktionsfehler, wenn er, ohne etwas sehen zu wollen, auf eine weiße Wand blickte (also vollständig entspannt und ausgeruht war). Wenn er aber eine falsche Altersangabe machte, indem er behauptete, er sei sechsundzwanzig, oder wenn jemand anderes das von ihm sagte, wurde er kurzsichtig (wie die Bates'sche Retinoskopie gezeigt haben soll). Dasselbe geschah, wenn der junge Mann sagte oder sich vorstellte, er sei vierundzwanzig. Wenn er die Wahrheit dachte oder aussprach, war sein Sehvermögen normal, wenn er etwas Falsches dachte oder aussprach, entwickelte sein Auge einen Refraktionsfehler. Es wird auch der Fall eines kleinen Mädchens erwähnt, das eine Lüge erzählte. Das Retinoskop zeigte einen Wechsel zur Kurzsichtigkeit in dem Augenblick, als das Kind auf die Frage ›Hast du ein Eis bekommen?‹ mit ›Nein‹ antwortete; wenn es wahrheitsgetreu antwortete, ›zeigte das Retinoskop keinen Refraktionsfehler‹. Da scheint sich also das innere Auge des Gewissens sozusagen körperlich auszudrücken!

Eine seltsame Sammlung von Beweisen wird von Dr. Bates vorgebracht, um zu zeigen, daß die Veränderungen im Refraktionszustand des Auges durch die äußeren Augenmuskeln bewirkt werde. Als ›Beweis‹ wird angeführt, staroperierte, linsenlose Menschen seien fähig, mit einer Fernbrille kleine Druckschrift zu lesen. Daß die Augenärzte in der täglichen Praxis das Gegenteil erfahren, hat vielleicht eine Bedeutung, obwohl anscheinend nicht eine so große wie die wenigen Einzelfälle von Bates, für die es nebenbei außerordentlich gute Erklärungen gibt, wie jedermann weiß, der mit der Literatur vertraut ist.[1] Es gibt in der Tat eine ausführliche, wenn auch kontroverse medizinische Literatur darüber, wie der Krümmungsradius der Linse während der Akkommodation verändert werde; die Tatsache, daß er verändert wird, bestreitet aber niemand – außer Bates, der experimentelle Beweise dafür haben will, daß zum Beispiel beim Fisch die Entfernung der Augenlinse die Akkommodation nicht beeinträchtige. Das Fischexperiment ist reich mit Bildmaterial illustriert, aber es wird nirgends auf die Tatsache hingewiesen, daß die Akkommodation des Fischs sich physiologisch und anatomisch von der der Säugetiere unterscheidet. Es wird auch über Experimente an Säugetieren, hauptsächlich an Kaninchen und Katzen, berichtet; in diesem Zusammenhang taucht bei Bates die absonderliche Ansicht auf, ein durchgetrennter Nerv oder Muskel könne, sobald er wieder zusammengenäht sei, wieder einen Impuls weiterleiten – die Physiologen dagegen rechnen erst nach Tagen oder Wochen mit solch einem Ergebnis. Über die Anatomie der Säugetiere kam er bei diesen Experimenten ebenfalls zu neuen Erkenntnissen. Die anerkannte Lehrmeinung, daß die Katze einen *musculus obliquus superior* besitze, soll angeblich nicht korrekt sein. Man muß beifügen, daß dies nur eine nebensächliche Beobachtung von Bates ist; eines seiner Hauptargumente besagt, die Pharmakologen irrten sich, wenn sie glaubten, Atropin wirke nur auf die nichtgestreifte Muskulatur, denn nach Bates soll diese Droge auch die äußeren Augenmuskeln lähmen, welche für die Akkommodation verantwortlich seien. Das eine Experiment, illustriert mit der Abbildung 23, scheint zu beweisen, daß ein toter Fisch immer noch ein lebendiges Hirn besitzt; es wird mit einer Nadel durchbohrt, damit es entspannt!

Die sich auf diese wirklich ungeheuer revolutionären Beobachtungen stützende Behandlung zielt auf eine geistige Entspannung hin, und der ins Gehirn

1 »Americal Journal of Ophthalmology 1921«, Band 4, Seite 296

gestochene Fisch ist wohl dafür das Paradebeispiel. Die Behandlungsmethode von Bates scheint viele Anhänger zu haben, und in diesem Zusammenhang gibt es einen Umstand, der es verdient, erwähnt zu werden. 1931 warnte das preußische Gesundheitsministerium vor dieser Methode als einer Form der Quacksalberei;[1] aber im Dritten Reich hat eine umfangreiche Literatur zur Verbreitung dieses Kults geführt, und es besteht anscheinend kein Mangel an Lehrern und Patienten.«

Es fällt auf, daß dieser Artikel in seiner Argumentation zwei Hauptlinien folgt.

Erstens: Bates' Methode kann nicht stichhaltig sein, weil sie von den Deutschen angewandt wird.

Zweitens: Die Bates-Methode der visuellen Erziehung kann nicht stichhaltig sein, weil gewisse Experimente zur Bestätigung der Hypothese, mit der Bates die Wirkung seiner Methode zu erklären suchte, nicht richtig durchgeführt wurden.

Das erste Argument gleicht haargenau jenem, das vor mehr als hundert Jahren dazu benützt wurde, das Stethoskop in Mißkredit zu bringen. Wer die Schriften von John Elliotsen kennt, wird sich an seinen Bericht über diese lächerliche Episode der englischen Medizin erinnern. Wegen antifranzösischer Vorurteile verflossen mehr als zwanzig Jahre, bis Laennecs Erfindung von den englischen Ärzten allgemein angewendet wurde.

Genau gleich verhielt es sich mit der Hypnose; sie wurde aufgrund von Vorurteilen gegen die Magnetopathen und Messmeranhänger von der offiziellen britischen Medizin über noch längere Zeiten mit dem Bann belegt. Ein halbes Jahrhundert, nachdem Braid seine klassische Hypothese formuliert und Esdaile unzählige größere Operationen unter Hypnoseanästhesie durchgeführt hatte, war die British Medical Association immer noch der Meinung, bei der Hypnosetechnik handle es sich allein um Betrug und Quacksalberei.

Die Geschichte der Medizin hat die traurige Eigenschaft, sich in diesen Dingen zu wiederholen, und es sieht ganz so aus, als ob die visuelle Erziehung das gleiche Schicksal erleiden sollte wie die Hypnose und das Stethoskop.

Ich möchte hinzufügen, daß das nationalistische Argument im vorliegenden Fall kaum gerechtfertigt ist. Die Kunst des Sehens wurde von einem amerikanischen Arzt entwickelt und wird gegenwärtig in den Vereinigten Staaten und in England gelehrt. Auch in Deutschland gibt es seit vielen Jahren »Sehschulen«. Einige von ihnen waren zweifellos schlecht und verdienten die Rüge des preußischen Gesundheitsministeriums; andere müssen aber ausgezeichnet gewesen sein, wie aus einem Beitrag eines Stabsarztes in der »Deutschen Medizinischen Wochenschrift« von 1934 hervorgeht. In diesem Artikel beschreibt Dr. Drenkhan, daß sich bei vielen fehlsichtigen Rekruten die Leistung beim Schießen verbesserte, wenn sie nicht Korrekturgläser bekamen, sondern einen visuellen Schulungskurs an einer Sehschule besuchten. Dr. Drenkhan gibt jenen, die ein Abfallen ihrer Sehkraft bemerken, folgenden Rat: Nicht sofort zu einem

1 »Klinische Monatsblätter für Augenheilkunde 1931«, Band 87, Seite 514

Augenarzt gehen, der im allgemeinen nur Brillengläser verschreiben wird, sondern den Hausarzt aufsuchen, um mit seiner Hilfe den allgemeinen physischen und psychischen Zustand zu verbessern. Anschließend eine Sehschule besuchen und lernen, wie man die Augen und das Gehirn richtig einsetzt.

So viel über das erste Hauptargument des Artikels. Das zweite ist ebenso unerheblich, da es, wenn nicht auf Vorurteilen, so auf konfusem Denken und falscher Logik beruht. Denn, so unglaublich es klingt, der Schreiber dieses Artikels versäumt vollkommen, zwischen zwei ganz verschiedenen Dingen zu unterscheiden: zwischen den primären Beweisen, welche das Vorhandensein eines Phänomens bestätigen, und den sekundären, die später beigefügt werden, um die Hypothese zu stützen, die das Phänomen erklären soll. Das Phänomen, das Bates mit seiner unorthodoxen Akkommodationstheorie zu erklären suchte, war jene bedeutende Verbesserung des Sehvermögens, die regelmäßig auf die Anwendung gewisser Übungstechniken folgte. Der Beweis für die Existenz dieses Phänomens kann von Tausenden von Menschen erbracht werden, die wie ich selbst von der zur Diskussion stehenden Methode profitiert haben, und von den vielen gewissenhaften und erfahrenen Instruktoren dieser Methode. Wenn der Schreiber wirklich etwas darüber wissen wollte, dann würde er mit einigen zuverlässigen Lehrern Verbindung aufnehmen, sie um Erlaubnis bitten, bei ihrer Arbeit zuschauen zu dürfen, und, wenn sein eigenes Sehvermögen mangelhaft ist, einen Augenschulungskurs absolvieren. Statt dessen versucht er, die ganze Idee der Sehschulung dadurch in Mißkredit zu bringen, daß er die von Bates zur Unterstützung seiner Hypothesen verwendeten Experimente verwirft.

Unnötig zu sagen, daß der Gedanke der Seherziehung unbeschadet aus diesem völlig verfehlten Angriff hervorgeht. Denn es ist offenkundig, daß, selbst wenn die sekundären Beweise nicht vertrauenswürdig sind, selbst wenn sich die von diesen Beweisen gestützte Hypothese als falsch erweisen sollte, sich absolut nichts an den Tatsachen ändert, zu deren Erklärung die Hypothese ursprünglich aufgestellt worden war. In der Geschichte des menschlichen Bemühens ist noch immer die Anwendung wirkungsvoller Methoden den richtigen erklärenden Hypothesen vorausgegangen. Mehrere Jahrtausende lang hat es eine Kunst der Metallurgie gegeben, bevor in unserem Jahrhundert zufriedenstellende Hypothesen zur Erklärung von Phänomenen wie der Härtung von Stahl und der Legierung von Metallen gefunden wurden. Nach der in diesem Artikel formulierten Ansicht hätten die alten Schmiede und Gießer wegen der Unrichtigkeit ihrer Hypothesen nie die Kunst der Metallbearbeitung ausüben können. Und weiter, wenn die Logik des Schreibers zuträfe, dann könnte so etwas wie die moderne Medizin nicht existieren. Unser Wissen über Körper und Seele des Menschen ist begrenzt und unvollkommen, und unsere Theorien darüber sind zugegebenermaßen nicht adäquat. Und dennoch existiert eine wirkungsvolle Heilkunst, wenn auch viele medizinische Hypothesen sich in der Zukunft gewiß als falsch erweisen und dafür neue Hypothesen entstehen werden, von denen die heutigen Ärzte nicht einmal träumen. Bates' Theorie der Akkommodation mag so falsch sein wie die Erklärungen des 18. und 19. Jahrhunderts über die Wirkungsweise des Zitronensafts bei Skorbut. Nichtsdestoweniger wurden die Skorbutkranken durch Zitronensaft geheilt; und Bates' Methode der visuellen Erziehung funktioniert tatsächlich.

Anhang 2

Gerade bei kurzsichtigen Menschen besteht oft eine außerordentlich schlechte Körperhaltung. Dies mag in einigen Fällen direkt auf die Kurzsichtigkeit zurückzuführen sein, die ein Sich-nach-vorne-Neigen und ein Hängenlassen des Kopfs fördern kann. Umgekehrt kann die Kurzsichtigkeit wenigstens teilweise auf eine schlechte Körperhaltung zurückgeführt werden. F. M. Alexander berichtet von kurzsichtigen Kindern, die ein normales Sehvermögen zurückgewannen, nachdem sie gelernt hatten, Kopf, Hals und Oberkörper in der richtigen Stellung zueinander zu halten.

Bei Erwachsenen scheint die Korrektur einer falschen Körperhaltung allein nicht zu genügen, um das normale Sehvermögen wiederherzustellen. Wer lernt, seinen Organismus als Ganzes richtig zu gebrauchen, wird zwar schneller eine Verbesserung des Sehvermögens erzielen; aber das gleichzeitige Erlernen der eigentlichen Kunst des Sehens ist unabdingbar.

Nachwort

Huxleys »Kunst des Sehens« ist eine Art Dokument – der Erlebnisbericht eines Menschen, der einen Übungsweg beschritten hat und der die Methode beschreibt, mit der er zu erstaunlichen Ergebnissen gekommen ist – und der anderen Menschen zeigen möchte, wie sie etwas Ähnliches für sich selbst tun können.

Huxley hat dieses Buch 1943 veröffentlicht. Seither sind über vierzig Jahre vergangen, und es mag den Leser interessieren, wie sich das Verhältnis zwischen Schulmedizin und Bates-Methode in dieser Zeit entwickelt hat.

Nach dem Zweiten Weltkrieg verschwanden die Sehschulen, an denen die Methode gelehrt wurde, nach und nach, und heute gibt es nur sehr wenige Lehrer in der Kunst des Sehens. Die vielen, den Praxen von Augenärzten angeschlossenen Sehschulen befassen sich ausschließlich mit der Orthoptik und Pleoptik, der Erkennung und Behandlung des Schielens und seiner Folgen.

Diese Entwicklung hat wohl verschiedene Gründe. Es wäre nicht gerecht, einfach die Schulmedizin anzuklagen, sie habe die von Bates empirisch gefundenen Tatsachen und seine therapeutischen Ansätze totgeschwiegen. Einmal ist die Bereitschaft der Menschen, einen Übungsweg zu beschreiten, innerhalb einer Gesellschaft von vielen verschiedenen Faktoren abhängig und damit Schwankungen unterworfen. Das Verschwinden der Bates-Schulen dürfte aber auch damit zusammenhängen, daß sich bei der optischen Korrektur der Symptome von Fehlsichtigkeiten ganz neue Möglichkeiten ergaben, welche zur Bates-Methode immer stärker in Konkurrenz traten und die Motivation zu einer solchen Schulung verringerten. So wurden zum Beispiel die Kontaktlinsen erfunden, die eine schnelle symptomatische Korrektur eines Sehfehlers auf kosmetisch vorteilhafte Weise ermöglichen. Die Herstellung von Brillengläsern wurde immer mehr perfektioniert, so daß inzwischen die optischen Nachteile einer Brillenkorrektur der Fehlsichtigkeit wie zum Beispiel Verzerrungen am Rande des Gesichtsfelds, Spiegeleffekte der Gläser etc. auf ein Minimum beschränkt sind. Seit der Erfindung von Kunststoffgläsern sind die Brillen leichter und angenehmer zu tragen. Es ist heute möglich, die Alterssichtigkeit durch Gläser mit gleitender optischer Wirkung (Gleitsichtgläser) zu korrigieren, so daß der so auffällige horizontale Strich in der Mitte des Glases, der früher nach außen hin das Stigma des alternden Menschen war, wegfällt. Zudem hat die Augenheilkunde auf dem Gebiet der Therapie gerade in den letzten Jahrzehnten ungeheure Fortschritte gemacht; man denke nur an die Implantation von künstlichen Augenlinsen nach der Entfernung des grauen Stars, an die Möglichkeiten der Hornhauttransplantation, der Behandlung von Netzhautleiden mittels Laserstrahlen, an die chirurgische Therapie der Netzhautablösung und an die Anwendung der Antibiotika und des Cortisons.

Und doch, so großartig und segensreich die neuen technischen und medikamentösen Möglichkeiten in der Augenheilkunde sind, auf einem Gebiet hat es kaum eine Weiterentwicklung gegeben. Es gibt zwar heute in vielen Fachbereichen der Medizin eine Psychosomatik, so die Psychosomatik des Magengeschwürs, der rheumatischen Krankheiten und des Bluthochdrucks; an den meisten großen Universitätskliniken gibt es sogar Spezialisten für psychosomatische Krankheiten. In der Augenheilkunde ist jedoch die psychosomatische Betrachtungsweise auch heute noch selten. Es ist das große Verdienst von Bates, daß er wenigstens einen Ansatz zur Psychosomatik des Sehorgans geschaffen hat, auf den die Augenheilkunde zurückgreifen könnte.

In der Erforschung der Physiologie des Auges sind in den vergangenen Jahrzehnten mit Hilfe der neuen echographischen, elektrophysiologischen und pharmakologischen Forschungsmethoden Befunde erhoben worden, welche gewisse Hypothesen von Bates klar widerlegen, z. B. jene über die Akkommodation. Andere wiederum scheinen sie teilweise zu stützen. So haben zum Beispiel, um nur ein Gebiet zu nennen, amerikanische Forscher die Rolle des Spannungszustands der äußeren Augenmuskeln, dem Bates so großes Gewicht beimißt, auf den Abfluß des Kammerwassers aus dem Auge und damit auf die Entstehung des grünen Stars untersucht und eine neue Entstehungstheorie des grünen Stars vorgeschlagen, die den äußeren Augenmuskeln eine wesentliche Rolle zubilligt.[1] Generell ist die Augenheilkunde von dem relativ starren Konzept, das sie noch im ausgehenden 19. Jahrhundert teilweise vom Auge hatte, durch viele Forschungsergebnisse abgekommen. Das Sehorgan wird für die Schulmedizin immer mehr zum lebendigen, beweglichen Gebilde.

Aber nicht nur in der Schulmedizin, auch im Bewußtsein der medizinischen Laien hat sich mit dem Aufkommen alternativmedizinischer Methoden, besonders im letzten Jahrzehnt, einiges verändert. Die zunehmenden zivilisatorischen Erscheinungen wie Streß, Leistungs- und Zeitdruck und die Entpersönlichung des Arbeitsplatzes haben zu einem wahren »Entspannungsboom« geführt, zu einer ungeheuren Nachfrage nach Entspannungsmethoden wie zum Beispiel dem autogenen Training. Auch im Bereich des Sehens dürfte die Bereitschaft, sich mit Entspannung zu beschäftigen, zugenommen haben, da die visuelle Belastung des einzelnen immer größer wird: sei es am Datensichtgerät, im Verkehr oder anderen Bereichen des täglichen Lebens.

Die von Huxley beschriebene Methode bietet nun gerade in dieser Situation einiges. Auch wenn jemand das eigentliche Ziel von Bates, nämlich die Korrektur von Fehlsichtigkeiten ohne optische Hilfsmittel, welche in der Tat sehr umstritten ist, nicht verfolgt, so gibt die Methode doch jedem, der intensiv visuell zu arbeiten hat, äußert wertvolle Hinweise, wie er allerlei Probleme beim Sehen und bei visuellem Arbeiten lösen kann. Deshalb wird auch der Normalsichtige viele der Übungen äußerst nützlich finden.

Allerdings darf man sich nicht über die Schwierigkeiten täuschen, die eine Veränderung von Sehgewohnheiten bietet. In unserer schnellebigen Zeit ist es für viele nicht einfach, allein schon die notwendige Zeit und die Ausdauer aufzubringen, um die von Huxley beschriebenen Übungen regelmäßig durchzu-

1 Glaucoma, Vol. 1, Nr. 1 Febr. 1979, p. 51.

führen. Und selbst wer die notwendige Motivation, Ausdauer und den Willen besitzt, wird wochen-, ja monatelang üben müssen – denn es handelt sich bei den meisten Sehvorgängen um unbewußt ablaufende Prozesse, die in aufmerksamer Kleinarbeit bewußt gemacht werden müssen, damit sie verändert werden können.

Trotzdem sollten alle, die an irgendwelchen Augenbeschwerden im weitesten Sinne leiden, genügend motiviert sein, die in diesem Buch dargestellten Übungen auszuprobieren. Das Buch kann somit auch denen dienlich sein, die zwar scharf sehen, die aber lernen möchten, ihre Sehorgane entspannter oder bewußter einzusetzen, um so Ermüdung oder Verkrampfung durch bessere Sehgewohnheiten zu vermindern. Bei eigentlichen Augenkrankheiten soll dies aber nie ohne augenärztliche Überwachung geschehen.

Heute ist es so, daß, nachdem die eigentlichen Bates-Schulen verschwunden sind, andere Therapierichtungen und Erziehungssysteme sich der Methode angenommen haben. Manche Gestalttherapeuten, Heilpraktiker, Yogalehrer und Bioenergetiker lehren sie, meist nebenbei.

Einige Kapitel des Buchs besitzen eine Bedeutung über den engeren Bereich des Sehens hinaus: Die von Huxley so klar herausgearbeitete Beziehung zwischen Aufmerksamkeit und Sehen etwa ist von allgemeinem Interesse und viel zu wenig bekannt. Dabei spielt diese Beziehung gerade in Berufen mit erhöhten Anforderungen heute eine enorme Rolle. Flugschüler zum Beispiel scheitern bei der Ausbildung zum Linienpiloten nicht etwa an zu geringer Intelligenz oder mangelnder technischer Begabung, sondern, wie es ein Fluglehrer ausdrückte, »an der falschen Verteilung der Aufmerksamkeit«.

Im übrigen ist es interessant und auffallend, daß viele der beschriebenen Techniken und Verfahren Bezüge zu anderen Bereichen und Wissensgebieten besitzen. Die Sonnenbestrahlung zum Beispiel, die von Bates für die Augen angewendet wird, ist eine uralte Heilmethode der Menschheit, die bereits von den Assyrern, den Ägyptern, aber auch den alten Griechen, Römern und Germanen eingesetzt wurde.

Eine andere Parallele zur Sonnenbestrahlung der Bates-Methode findet sich in einem Satz, den Carlos Castaneda den mexikanischen Yaqui-Zauberer Don Juan zu seinem Schüler sagen läßt: »Die beste Art, sich Energie zu holen, besteht natürlich darin, die Sonne in die Augen ... scheinen zu lassen.«[2] Don Juan gibt dann die Anweisung, dabei den Kopf langsam hin- und herzuwiegen; und so, sagt er, könne man nicht nur die Sonne nutzen, sondern jede Art Licht, das einem in die Augen scheint. Es gibt übrigens heute viele wissenschaftliche Arbeiten, die sich mit dem Einfluß des Lichts auf vegetative Hirnzentren und auf den Hormonhaushalt des Körpers befassen.

Die von Huxley erwähnte Nackenmassage zur Beeinflussung von Augenbeschwerden zeigt einen interessanten Bezug zur Akupunktur. Am oberen Teil des Nackens befinden sich nämlich in der Akupunktur mehrere wichtige Punkte zur Beeinflussung des Augenbereichs.

Das von Huxley vorgetragene Konzept der dynamischen Entspannung als natürlicher Funktionszustand der Organe ist heute, nach vierzig Jahren, äußerst modern; es wird bei vielen Behandlungsmethoden wie Atemgymnastik, Bewegungstraining, funktioneller Entspannung und Reittherapie verwendet.

Einer der größten Vorzüge von Huxleys Buch über die Kunst des Sehens besteht darin, daß der Autor die Zusammenhänge zwischen Bewußtsein, Gehirn, Auge und Erscheinungswelt deutlich macht. Das Sehen ist bei ihm nicht nur ein physiologischer Vorgang, sondern ein konkreter, lebendiger Austausch des individuellen Bewußtseins mit dem, was wir Umwelt nennen. In alten Kulturen war dieses Wissen schon immer vorhanden. Ein indianischer Medizinmann, Rolling Thunder, hat es in seinen eigenen Begriffen so ausgedrückt: »Manche Leute glauben, daß Sehen nur eine Sache des Lichteinfalls sei. Die optische Wahrnehmung ist aber in Wirklichkeit eine Kraft, die von den Augen ausgestrahlt wird und anziehend oder abstoßend wirken kann.«[3]

Christoph Graf

[2] Carlos Castaneda, »Der zweite Ring der Kraft«, Frankfurt am Main 1978, S. 256.

[3] Dough Boyd, »Rolling Thunder. Erfahrungen mit einem Schamanen der neuen Indianerbewegung«, München 1978, S. 207.

Aldous Huxley

Eiland

Roman. Aus dem Englischen von Marlys Herlitschka. 343 Seiten. SP 358

Ein schiffbrüchiger englischer Reporter entdeckt die tropische Insel Pala und findet bei den Einheimischen »sein« Paradies. Zunächst skeptisch, distanziert er sich zunehmend von der westlich-zivilisierten Welt und ihren Segnungen. Am Ende wird das Idyll jedoch durch den sogenannten Fortschritt eingeholt und zerstört.

Essays

Band I: Streifzüge.
Band II: Form in der Zeit.
Band III: Seele und Gesellschaft.
Herausgegeben von Werner von Koppenfels. Aus dem Englischen von Hans-Horst Henschen, Herbert E. Herlitschka und Sabine Hübner. Drei Bände in Kassette. Zusammen 948 Seiten. SP 1450

Die vorliegende dreibändige Ausgabe erschien aus Anlaß des 100. Geburtstags von Aldous Huxley. Ein Großteil dieser Essays wird hiermit dem deutschen Lesepublikum erstmals vorgestellt.

Moksha

Auf der Suche nach der Wunderdroge. Herausgegeben von Michael Horowitz und Cynthia Palmer. Aus dem Englischen von Kyra Stromberg. Vorwort von Albert Hofmann. Nachwort von Oskar Sahlberg. 312 Seiten. SP 287

Die Pforten der Wahrnehmung – Himmel und Hölle

Erfahrungen mit Drogen. Aus dem Englischen von Herbert E. Herlitschka. 134 Seiten. SP 6

Die beiden epochemachenden Essays Aldous Huxleys berichten von Entdeckungsreisen zu den »Antipoden unseres Bewußtsein«, in Regionen des Seins, die nur im Zustand der Entrückung zu erreichen sind. Die moralische und geistige Quintessenz dieser Erfahrung wird auch in »Himmel und Hölle« analysiert.

Wiedersehen mit der Schönen Welt

Aus dem Englischen von Herbert E. Herlitschka. 128 Seiten. SP 670

In diesem Essay mißt Aldous Huxley die Utopien, die er in seiner berühmten Zukunftsvision von der »Schönen neuen Welt« entworfen hatte, an der Realität der Gegenwart.

SERIE PIPER

Sergio Bambaren

Der träumende Delphin

Eine magische Reise zu dir selbst. Aus dem Englischen von Sabine Schwenk. 95 Seiten mit 10 farbigen Illustrationen von Heinke Both. SP 2941

Was du tust ist wichtig, wichtiger aber ist, wovon du träumst – und daß du an deine Träume glaubst. Dies ist die Botschaft, die wir von dem träumenden Delphin lernen können. Wie einst »Die Möwe Jonathan« hat dieses Buch unzählige Leserinnen und Leser auf der ganzen Welt begeistert.

Der junge Delphin Daniel Alexander ist ein Träumer: Er ist davon überzeugt, daß es im Leben mehr gibt als Fischen und Schlafen, und so verbringt er seine Tage damit, auf den Wellen zu reiten und nach seiner eigenen Bestimmung zu suchen. Eines Tages spricht die Stimme des Meeres zu ihm und verkündet, Daniel werde den Sinn des Lebens finden, und zwar an dem Tag, an dem ihm die perfekte Welle begegnet. So beschließt der junge Delphin, das sichere Riff seiner Artgenossen zu verlassen. Auf seiner langen Reise trifft er nicht nur viele andere Fische und einige menschliche Wellenreiter, sondern schließlich auch die perfekte Welle ... Sergio Bambaren erzählt eine wunderbare Geschichte über unseren Mut, unsere Ängste und unsere persönlichen Grenzen – ein Plädoyer für die selbstbestimmte Suche nach dem Sinn des Lebens und die Realisierung der eigenen Träume.

»Eine hinreißende Geschichte mit wunderschönen Illustrationen.«

MAX

Ein Strand für meine Träume

Aus dem Englischen von Elke von Scheidt. 160 Seiten mit 10 farbigen Illustrationen von Heinke Both. SP 3229

Miss Read

Winter auf dem Lande

Roman. Aus dem Englischen von Dorothee Asendorf. 218 Seiten. SP 2075

»Die Autorin ist Synonym für ein England, in dem die Werte wie Nachbarschaftshilfe, gegenseitige Rücksichtsnahme, Verständnis und Hilfsbereitschaft noch Geltung haben.«
Buchreport

Gute Nachbarn und andere Freunde

Roman. Aus dem Englischen von Dorothee Asendorf. 231 Seiten. SP 2488

Sommerleid und Winterfreud

Roman. Aus dem Englischen von Dorothee Asendorf. 224 Seiten. SP 2486

Wieder einmal blüht der Klatsch in dem beschaulichen Dorf Thrush Green. Der gute Pfarrer Charles Henstock hat große Schwierigkeiten mit einigen Pfarrkindern seiner neuen, herrschaftlichen Gemeinde in Lulling. Vor allem die gräßliche Mrs. Thurgood und ihre kunstbeflissene Tochter Janet machen dem Pfarrer das Leben schwer. Und Albert Piggott leidet unter der Ankündigung seiner untreuen Frau Nelly, wieder zu ihm zurückzukehren. Doch eine Hochzeit, mit der niemand gerechnet hat, verändert das Leben einiger Dorfbewohner gründlich. Was doch ein charmanter, gut aussehender Fremder, an den sich die Schwestern Lovelock noch liebevoll erinnern, alles anrichten kann!

Lästermäuler und Klatschbasen

Roman. Aus dem Englischen von Dorothee Asendorf. 223 Seiten. SP 2487

Das friedliche englische Dorf Thrush Green erlebt dieses Mal eine Reihe von Erschütterungen: Als Pfarrer Henstock und seine Frau Dimity in Urlaub fahren, brennt das Pfarrhaus ab. Die Tierfreundin Dotty Harmer wird immer wunderlicher: Muß sie in ein Heim? Und während die Lästermäuler noch heftig klatschen, tauchen im Dorf merkwürdige junge Leute auf. Ein Krimi bahnt sich an …

Anne Morrow Lindbergh

Halte das Herz fest

Die Hochzeit. Aus dem Amerikanischen von Maria Wolff.
258 Seiten. SP 513

»Halte das Herz fest« ist ein mutiges Buch, in dem sich eine Frau mitteilt, die jede Verherrlichung scheut und den Fragen und Konflikten des Daseins ihre ganze reife Persönlichkeit entgegenstellt.

Verschlossene Räume, offene Türen

Jahre der Besinnung.
Aus dem Amerikanischen von Elisabeth Piper.
331 Seiten. SP 1658

»Wer Charles Lindbergh als Jahrhundertmenschen sieht, liest die literarischen Notizen seiner Ehefrau nicht ohne Erregung.«

Frankfurter Allgemeine Zeitung

Blume und Nessel

Jahre in Europa.
Aus dem Amerikanischen von Elisabeth Piper.
371 Seiten. SP 1934

»Blume und Nessel« erzählt in Briefen und Tagebuchaufzeichnungen von den Jahren 1936 bis 1939, in denen das Ehepaar Lindbergh in Europa lebte, es ist die persönliche Geschichte zweier junger Amerikaner inmitten der Schönheit und Vielfalt der europäischen Szenerie. »Blume und Nessel« ist Dokument und erzählender Bericht, ein Buch zum tieferen Verständnis der Vorkriegsjahre, ein lebendiges Zeugnis einer von Arbeit und Pflichten geprägten, glücklichen Ehe.

Wind an vielen Küsten

Aus dem Amerikanischen von Elisabeth Piper.
184 Seiten. SP 653

Anne Morrow Lindberghs Aufzeichnungen eines Atlantikflugs zeugen von ihrer Sensibilität, ihrer Willenskraft, ihrem Abenteuergeist und von der erstaunlichen Zusammenarbeit des Fliegerehepaars Lindbergh.

Muscheln in meiner Hand

Eine Antwort auf die Konflikte unseres Daseins. Aus dem Amerikanischen von Maria Wolff. Übertragung der Gedichte von Peter Stadelmayer. 132 Seiten. SP 1425

Barbara Pym

Die Frau des Professors

Roman. Aus dem Englischen von Karen Lauer. 164 Seiten. SP 1447

»Barbara Pyms unaufdringliche, subtile, vollendete Romane sind für mich die herausragenden Beispiele der hohen Kunst der Komödie im England der letzten fünfundsiebzig Jahre.«

Lord David Cecil

Ein Glas voll Segen

Roman. Aus dem Englischen von Dora Winkler. 288 Seiten. SP 2151

Wilmet Forsyth ist eine schöne Frau von 33 Jahren, der es an nichts mangelt. Ihr Problem: sie fühlt sich nutzlos. Um Wilmet herum finden die merkwürdigsten Paare zusammen – die altjüngferliche Mary Beamish, die es auf einen gutaussehenden Vikar abgesehen hat, ihre scharfzüngige Schwiegermutter, oder Piers, ihr Schwarm, und dessen homosexueller Freund Keith. Nur an Wilmet ziehen die Liebe und das Leben vorbei…

»Wer Barbara Pym nicht kennt, weiß nichts über den ›British Way of Life‹.«

Willi Winkler

Das Täubchen

Roman. Aus dem Englischen von Dora Winkler. 219 Seiten. SP 1940

Eine ganz und gar britische Comédie humaine: Bei einer Auktion lernt Leonora Eyre, eine wohlhabende Dame Ende Vierzig, den Antiquitätenhändler Humphrey Boyce und dessen gutaussehenden Neffen James kennen. Beide sind von der distinguierten Leonora angezogen. Sie scheint jedoch das beharrliche Werben Humphreys kaum zu bemerken, denn sie hat nur Augen für den 24jährigen Neffen. Doch als sie von der Existenz eines jungen Mädchens erfährt, mit dem James eine kurze Affäre hatte, und er von einer Studienreise dann noch mit einem homosexuellen Freund zurückkehrt, beginnt sie an ihrer Attraktivität zu zweifeln…

»Barbara Pym erzählt witzig und in perfekter englischer Mischung aus Ironie und Sanftmut.«

Die Zeit

SERIE PIPER

Javier Marías

Der Gefühlsmensch

Roman. Mit einem Nachwort des Autors. Aus dem Spanischen von Elke Wehr. 178 Seiten. SP 2459

Der Icherzähler, ein berühmter Operntenor, erinnert sich an Ereignisse, die vier Jahre zurückliegen und von denen er nicht mehr sicher ist, ob er sie erlebt oder geträumt hat. Er war während einer Zugfahrt drei Personen begegnet: der schönen, melancholischen, jungen Natalia und ihrem despotischen Ehemann, einem belgischen Bankier, nebst dem geheimnisvollen Begleiter Dato. Bald darauf trifft er das seltsame und eindrucksvolle Trio wieder in einem Madrider Hotel. Während der Sänger die Rolle des Cassio in Verdis »Otello« einstudiert, entsteht eine Beziehung zu Natalia. Doch sie ist immer in Begleitung von Dato, der ganz offensichtlich die Aufgabe hat, seine unglückliche Herrin zu zerstreuen, während der Gatte seinen Geschäften nachgeht. Auch andere Figuren aus dem Leben des Erzählers tauchen in seiner Erinnerung auf, darunter seine frühere Geliebte Berta oder die Hure Claudina, die dazu beitragen, den immer enger werdenden Kreis seiner wachsenden Leidenschaft für Natalia zu schließen – einer Leidenschaft, deren Ende ebenso unausweichlich wie dramatisch und überraschend ist.

»Ich glaube, das ist einer der größten im Augenblick lebenden Schriftsteller der Welt.«

Marcel Reich-Ranicki

»Denn das ist über seine literarische Bravour hinaus die eigentliche Sensation des Buchs: daß es die moralische Heuchelei unserer Zeit entlarvt und die Gewichte von Gut und Böse radikal anders verteilt.«

Frankfurter Allgemeine Zeitung

SERIE PIPER

Jonathan Coe

Allein mit Shirley

Roman. Aus dem Englischen von Dirk van Gunsteren. 565 Seiten. SP 2464

»Seien Sie vor meiner Familie gewarnt«, sagte der alte Mortimer Winshaw. »Sofern Sie es noch nicht gemerkt haben: Es ist die gemeinste, gierigste, grausamste Bande von berechnenden, niederträchtigen Schurken, die je das Angesicht der Erde beschmutzt haben.« Ausgerechnet der verträumte Jungschriftsteller Michael Owen erhält den Auftrag, die Biographie dieses ehrenwerten Clans zu verfassen.
Die Winshaws sind die exemplarischen Sieger der Gesellschaft: Hilary, die erfolgssüchtige Klatschkolumnistin; Roddy, der gerissene Kunsthändler; Henry, der Labour-Politiker, der im rechten Moment das Lager wechselt; Dorothy, die unerbittliche Regentin über ein Fast-food-Imperium. Im heißen Sommer 1990 beginnt der junge Schriftsteller Michael Owen seine Auftragsarbeit an der offiziellen Biographie des Winshaw-Clans. Je näher er der wahren Geschichte seiner skrupellosen Hauptdarsteller kommt, desto mehr entdeckt er erstaunliche Parallelen zu seinem eigenen Leben. Jonathan Coe hat mit seinem perfekt komponierten Roman ein bissiges, rasantes, sehr englisches »Fegefeuer der Eitelkeiten« entfacht.

»Die Ära Thatcher als Gruselkabinett! Sex und Crime, soweit das Auge des Lesers reicht, aber auch ein atemberaubend virtuoses Jonglierspiel mit sämtlichen Traditionen angelsächsischer Erzählkunst.«
Süddeutsche Zeitung

»Ein großer Wurf: intelligent, witzig und wichtig.«
Time Literary Supplement

Ein Hauch von Liebe

Roman. Aus dem Englischen von Annette Grube. 183 Seiten. SP 2433

Ted und Robin, Studienfreunde in Oxford, lieben Katharine. Selbst Teds Heirat mit Katharine konnte dem subtilen Dreiecksverhältnis nichts anhaben. Doch Jahre der Trennung haben sie einander entfremdet: Ted ist geschäftlich erfolgreich, während Robin seit Jahren vor den Bruchstücken seiner Dissertation sitzt. Erst durch einen Zufall gerät sein Leben wieder in Bewegung.